CONVERSATIONS AVEC UN ENFANT CURIEUX

DU MÊME AUTEUR

ROMANS, RÉCITS ET CONTES

CONTES POUR BUVEURS ATTARDÉS, Éditions du Jour, 1966 ; BQ, 1996.
LA CITÉ DANS L'ŒUF, Éditions du Jour, 1969 ; BQ, 1997.
C'T'À TON TOUR, LAURA CADIEUX, Éditions du Jour, 1973 ; BQ, 1997.
LE CŒUR DÉCOUVERT, Leméac, 1986 ; Babel, 1995 ; Nomades, 2016.
LES VUES ANIMÉES, Leméac, 1990 ; Babel, 1999 ; Nomades, 2016.
DOUZE COUPS DE THÉÂTRE, Leméac, 1992 ; Babel, 1997 ; Nomades, 2016.
LE CŒUR ÉCLATÉ, Leméac, 1993 ; Babel, 1995 ; Nomades, 2016.
UN ANGE CORNU AVEC DES AILES DE TÔLE, Leméac / Actes Sud, 1994 ; Babel, 1996 ; Nomades, 2015.
LA NUIT DES PRINCES CHARMANTS, Leméac / Actes Sud, 1995 ; Babel, 2000 ; Babel J, 2006 ; Nomades, 2016.
QUARANTE-QUATRE MINUTES, QUARANTE-QUATRE SECONDES, Leméac / Actes Sud, 1997.
HOTEL BRISTOL, NEW YORK, NY, Leméac / Actes Sud, 1999.
L'HOMME QUI ENTENDAIT SIFFLER UNE BOUILLOIRE, Leméac / Actes Sud, 2001.
BONBONS ASSORTIS, Leméac / Actes Sud, 2002 ; Babel, 2010 ; Nomades, 2015.
LE CAHIER NOIR, Leméac / Actes Sud, 2003.
LE CAHIER ROUGE, Leméac / Actes Sud, 2004.
LE CAHIER BLEU, Leméac / Actes Sud, 2005.
LE GAY SAVOIR, Leméac / Actes Sud, coll. « Thesaurus », 2005.
LE TROU DANS LE MUR, Leméac / Actes Sud, 2006.

LA DIASPORA DES DESROSIERS

LA TRAVERSÉE DU CONTINENT, Leméac / Actes Sud, 2007 ; Babel, 2014 ; Nomades, 2016.
LA TRAVERSÉE DE LA VILLE, Leméac / Actes Sud, 2008.
LA TRAVERSÉE DES SENTIMENTS, Leméac / Actes Sud, 2009 ; Babel, 2014.
LE PASSAGE OBLIGÉ, Leméac / Actes Sud, 2010.
LA GRANDE MÊLÉE, Leméac / Actes Sud, 2011.
AU HASARD LA CHANCE, Leméac / Actes Sud, 2012.
LES CLEFS DU PARADISE, Leméac / Actes Sud, 2013.
SURVIVRE ! SURVIVRE !, Leméac / Actes Sud, 2014.
LA TRAVERSÉE DU MALHEUR, Leméac / Actes Sud, 2015.

CHRONIQUES DU PLATEAU-MONT-ROYAL

LA GROSSE FEMME D'À CÔTÉ EST ENCEINTE, Leméac, 1978 ; Babel, 1995 ; Nomades, 2015.
THÉRÈSE ET PIERRETTE À L'ÉCOLE DES SAINTS-ANGES, Leméac, 1980 ; Grasset, 1983 ; Babel, 1995 ; Nomades, 2016.
LA DUCHESSE ET LE ROTURIER, Leméac, 1982 ; Grasset, 1984 ; BQ, 1992.
DES NOUVELLES D'ÉDOUARD, Leméac, 1984 ; Babel, 1997 ; Nomades, 2016.
LE PREMIER QUARTIER DE LA LUNE, Leméac, 1989 ; Babel, 1999 ; Nomades, 2015.
UN OBJET DE BEAUTÉ, Leméac / Actes Sud, 1997 ; Babel, 2011 ; Nomades, 2016.
CHRONIQUES DU PLATEAU-MONT-ROYAL, Leméac / Actes Sud, coll. « Thesaurus », 2000.

MICHEL TREMBLAY

Conversations avec un enfant curieux

instantanés

LEMÉAC / ACTES SUD

Une première version de « La crèche » (p. 11 à 20) a paru dans le magazine *Châtelaine* de décembre 2015.

Leméac Éditeur remercie le Conseil des arts du Canada, la Société de développement des entreprises culturelles du Québec (SODEC) et le Programme de crédit d'impôt pour l'édition de livres du Québec (Gestion SODEC) du soutien accordé à son programme de publication.

Financé par le gouvernement du Canada | Canada

ISBN 978-2-7609-1293-9

pour la France, la Belgique et la Suisse
ISBN 978-2-330-07383-1

Pour Jeannine Trépanier-Laurin,
qui a été témoin de cette enfance
vécue avec tant d'intensité.

Le passé est un lieu de référence
et non un lieu de résidence.

HOURIK-CLO ZAKARIAN, psychologue

La crèche

« Momaaan…

— Toi, quand tu me parles comme ça, c'est parce que tu veux avoir quequ'chose…

— C'est juste une question que je veux te poser…

— La réponse a besoin d'être courte, parce qu'y faut que je prépare la pâte pour les pâtés à' viande.

— C'est au sujet de la crèche.

— Qu'est-ce qu'elle a, la crèche, tu la trouves pas belle, ma crèche ?

— Ah, oui, est ben belle ! Tout le monde le dit… C'est pas ça…

— C'est quoi, d'abord ?

— C'est quoi une crèche ?

— T'as juste à regarder en dessous de l'arbre de Noël, tu vas en voir une, fais-moi pas pardre mon temps, tu viens de me dire que tu trouves la mienne belle !

— Oui, je le sais, c'est pas ça…

— Michel, tu sais comment j'haïs ça quand tu tournes autour du pot comme ça…

— À l'école, y disent que l'Enfant Jésus est venu au monde dans une étable, pis des fois dans une crèche…

— L'étable, c'est la place qui contient les animaux, pis la crèche… ben la crèche, c'est la mangeoire des animaux.

— L'Enfant Jésus est venu au monde dans une mangeoire d'animaux !

— Y a pas dû venir au monde dedans, là, directement dedans. Mais la Sainte Vierge a dû l'installer dedans parce qu'a' trouvait pas d'autre place. Personne voulait d'eux autres, tu t'en rappelles, pis y ont abouti dans une étable.

— Pis elle l'a couché dans la mangeoire pour les animaux !

— Saint Joseph a dû la nettoyer avant, je le sais-tu, moi ! Tu poses des questions, toi, des fois…

— C't' assez gros pour contenir un petit bébé, une crèche ?

— Des fois, c'est pas mal gros, oui. Quand y a ben des animaux à nourrir dans l'étable, y a des grosses crèches. Pour que les animaux se battent pas pour manger. Bon, laisse-moi travailler, à c't'heure.

— Comment ça se fait que cette année, y a pas de crèche dans ta crèche ? Que l'Enfant Jésus est juste posé sur la paille ?

— C'est là que tu voulais en venir, hein ? J'ai rien qu'une chose à te dire : si l'Enfant Jésus est pas couché dans une crèche, c't'année, c'est parce que c'est un nouvel Enfant Jésus, pis qu'y est trop gros !

— Y est trop gros pour la crèche ?

— Y est trop gros pour celle que j'avais. Notre Enfant Jésus, si *cute*, que j'avais depuis des années, était tellement rendu sale que j'arrivais pus à le nettoyer. Y était en cire, pis j'avais peur qu'y fonde…

— C'est vrai, l'année passée y était tout gris… Quasiment de la même couleur que la crèche… Pis y avait une partie du visage effacée.

— Ça fait que j'ai demandé à ta grand-mère d'aller en acheter un neuf chez Larivière et Leblanc. J'en avais vu des beaux. Pis est revenue avec un Enfant Jésus plus gros que ses parents ! Y est beau, y est en cire lui aussi, y est rose, y sourit, y a l'air en santé, y ressemble à l'autre, mais y est trop gros pour le reste de mes personnages ! Même les Rois mages ressemblent à des nains à côté de lui !

— C'est pour ça que vous vous êtes chicanées...

— C'est vrai que t'entends toute, toi... On s'est pas chicanées... J'ai juste parlé un peu fort.

— Elle aussi.

— Mettons. Mettons qu'on a parlé un peu fort toutes les deux.

— A' pouvait pas aller le changer ?

— A' *voulait* pas aller le changer ! A' disait que c'tait pas important, d'abord que l'Enfant Jésus était beau ! Aucun sens des proportions ! C'te femme-là – r'marque que je l'aime ben, c'est la mère de ton père – a'l' a aucun sens des proportions ! As-tu vu ça ? Hein ? As-tu ben regardé ? Y est aussi gros que le bœuf ! Si les anges descendent trop proche de lui, y va leur faire peur ! J'fais c'te crèche-là depuis des années, tout le monde dit que c'est la plus belle de la paroisse, le curé est déjà venu la voir parce qu'y en avait entendu parler, pis v'là rendu que j'ai un Enfant Jésus géant ! J'ai essayé d'éloigner ses parents, les bergers, les moutons, j'les ai placés plus loin, mais ça change rien, y est toujours trop gros ! C't'année, la Sainte Vierge a mis au monde un éléphant !

— C'est pas un éléphant, moman, y est juste un peu gros...

— Mais y défait toute ma belle crèche ! On a passé des heures à construire le village, ton père pis moi, à mettre des lumières de couleur dans les maisons en carton, à jeter de la neige partout même si y a jamais neigé oùsque l'Enfant Jésus est venu au monde, pour faire plus beau, pis le gros Enfant Jésus est là qu'y me regarde en écartillant les bras pis en souriant, comme si y savait pas qu'y est trop gros ! On dirait qu'y rit de moi !

— J'peux aller te le changer, moi, ton Enfant Jésus…

— Non ! C't'à elle à y aller ! Y a toujours ben des émites à avoir la tête dure ! Pis sais-tu quoi ? J'ai décidé qu'à partir de l'année prochaine, j'vas faire une crèche neuve *autour de lui* ! J'vas acheter des nouvelles maisons, des personnages plus gros, des moutons géants, une crèche grandeur nature, pis des anges qui pèsent une tonne ! Ça va coûter une fortune, mais c't'Enfant Jésus là pourra pas se vanter d'avoir ri de moi plus qu'une année ! Bon, tu vois, tu me fais sacrer, là… Comme si l'Enfant Jésus avait déjà ri de quelqu'un ! Va donc poser des questions à quelqu'un d'autre, tu vois pas que tu me déranges ? Chus trop choquée, j'sais pus ce que je dis… Pis va aussi demander à ta grand-mère pourquoi a'l' a une tête de cochon comme ça ! J'y demande un petit service, a' se trompe, pis a' veut pas réparer son erreur ! C'est-tu de la paresse ou ben donc du buckage ? As-tu déjà vu ça ? Y a pas rien qu'elle qui peut avoir raison dans' maison ! D'habitude a' m'aide à faire les pâtés a' viande parce qu'a' prétend que les siens sont meilleurs que les miens, mais c't'année j'ai décidé que je les faisais tu-seule. Pis si a' les aime pas, a' s'en passera ! Tant pire pour elle.

— Pompe-toi pas comme ça, maman. Ça sert à rien.

— Ça sert peut-être à rien, mais ça fait du bien !

— Ça peut pas te faire du bien, t'es toute rouge !

— Aïe ! Laisse-moi me pomper si j'ai le goût de me pomper ! Pis va lire dans un coin. Laisse-moi travailler.

J'ai des tourtières à finir, même si je sais que ta grand-mère les trouvera pas bonnes pis qu'a' va plisser le nez en y goûtant. »

* * *

« Comment ça, y est trop gros ?

— C'est ma grand-mère qui est venue l'acheter, hier, pis a' s'est trompée…

— A' s'est trompée de grosseur ?

— Oui. R'gardez, vous en avez trois grosseurs. C'est marqué, petit, moyen, grand. Sont toutes pareils pareils, y se ressemblent comme des jumeaux, mais sont pas de la même grosseur… Ma grand-mère a pris un grand pis a'l' aurait dû prendre un petit… Ça a l'air pas mal fou dans notre crèche…

— Pis a' t'a envoyé le changer…

— Oui. Ben non, pas tout à fait… Ma mère était ben fâchée parce que l'Enfant Jésus était trop gros pis qu'y avait l'air d'un géant à côté des autres personnages, ça fait que j'ai décidé d'y faire une surprise parce que ma grand-mère voulait pas venir l'échanger.

— Pourquoi ?

— A' disait que c'tait pas grave, qu'un Enfant Jésus c't' un Enfant Jésus, qu'y soit gros ou pas… Pis parce qu'a'l' avait pas le goût de remarcher jusqu'ici, je suppose. Est vieille, pis a'l' a un peu de misère à marcher, vous comprenez…

— Ah oui, j'me rappelle d'elle, là… Pas commode… Pis marchandeuse ! J'ai jamais vu ça ! J'ai eu toute la misère du monde à y faire comprendre que le prix était définitif… Ça fait que c'est ta mère qui t'a demandé de venir l'échanger ?

— Non, c'est pas elle non plus. J'ai décidé ça par moi-même. Ma mère le sait pas.

— T'as volé l'Enfant Jésus de la crèche de ta mère!

— Je l'ai pas volé, chus juste venu l'échanger pour un de la bonne grosseur! J'vous le dis, ma mère va être ben contente quand a' va s'en apercevoir!!

— Oui, mais en attendant, si a' s'en rend compte, a' sera pas contente pantoute!

— C'est pour ça qu'y faut se dépêcher! Faut que je retourne avec l'Enfant Jésus de la bonne grosseur avant qu'a' s'en aperçoive!

— Pis si a' s'en aperçoit?

— Ben, j'vas probablement me faire crier des bêtises, mais ça va avoir valu la peine!

— Ben OK d'abord. J'sais pas si j'ai le droit de faire ça, mais... j'vas te l'échanger...

— Y coûtait plus cher, hein?

— Quoi?

— Le gros Enfant Jésus, y coûtait plus cher que le petit?

— Évidemment.

— Allez-vous pouvoir me remettre le reste de l'argent?

— Tu vas pas en plus voler l'argent de ta grand-mère!

— C'est pas ça que j'ai dit! J'vas y remettre c'qui va revenir! Mais j'veux pas payer un petit Enfant Jésus le même prix qu'un gros!

— J'te dis que tu tiens de ta grand-mère, toi! J'travaille ici juste pour le temps des Fêtes, moi, je sais pas comment ça se fait ces affaires-là! Faut que ma caisse balance, à soir! Si j'te redonne de l'argent, y va m'en manquer quand on va fermer le magasin! Pis y m'ont même pas dit si on pouvait faire des échanges… ou ben si on pouvait remettre de l'argent…

— Ben, donnez-moi-z'en deux, d'abord.

— Deux quoi ?

— Ben, deux Enfants Jésus ! Ça va faire le même prix qu'un gros !

— Pas tout à fait. Deux petits Enfants Jésus, ça coûte plus cher qu'un gros…

— Pourquoi ?

— Je le sais pas… Peut-être que ça prend moins de cire pour faire un gros Enfant Jésus que pour en faire deux petits…

— Y va manquer combien si j'en prends deux petits ?

— Attends que je calcule… Douze cennes.

— J'vas vous les donner les douze cennes, j'les ai. J'vas les prendre sur mon argent de poche. Vous me donnez deux petits Enfants Jésus, pis on en parle pus, OK ? Pis ma grand-mère saura jamais qu'a me doit douze cennes…

— Qu'est-ce que tu vas faire avec le deuxième Enfant Jésus ?

— J'vas le cacher. Comme ça, quand l'autre va être usé, y aura pas de drame dans' maison ! »

* * *

« J'ai fait ça pour te rendre service, maman…

— Me rendre service ! J'pensais que quelqu'un de la maison me l'avait volé !

— J'espérais que tu t'en rendes pas compte avant que je le remplace… Pour te faire une surprise.

— Enfant insignifiant ! Tu sais ben que j'sais tout ce qui se passe ici-dedans !

— Pas c'te fois-là, tu m'as pas vu le prendre !

— Réponds-moi pas en plus ! Sais-tu ce que tu m'as fait faire ? Hein ? Le sais-tu ? J'ai accusé tout le monde, dans' maison ! À commencer par ta grand-mère ! J'ai eu l'air d'une vraie folle ! J'pense que ta grand-mère me parlera pus jamais tellement est-tait insultée ! Je l'ai jamais vue de même !

— Vous vous chicanez tout le temps, pis vous finissez toujours par vous réconcilier…

— Mais je l'avais jamais accusée d'avoir volé un Enfant Jésus !

— Tu l'as vraiment accusée ?

— Ben… pas directement. J'ai commencé par y demander si a'l' l'avait vu, pis est tu-suite montée sur ses grands chevaux ! T'aurais dû voir ça ! Une vraie furie ! C'est vrai que ça a toujours été une femme honnête… C'est juste si a' m'a pas mis à' porte de sa chambre ! La même chose avec ta tante Bartine, pis tes deux frères. Franchement ! T'aurais pu attendre à un autre jour que le samedi matin pour voler mon Enfant Jésus ! Tout le monde était ici ! Tout le monde était suspect !

— Mais je l'ai pas volé !

— Tu l'as pris, c'est pareil !

— J't'avais offert d'aller le changer, pis t'as pas voulu !

— C'tait pas à toi à décider de faire ça !

— C'tait à qui ?

— C'tait à elle ! C'tait son erreur à elle !

— Pis si toi tu me l'avais demandé ? Comme une commission !

— Depuis quand tu fais des commissions avant que je te le demande ? Tu fais la baboune chaque fois que je veux t'envoyer quequ'part pour aller chercher quequ'chose ! Comme si je te martyrisais !

— D'abord, pour commencer, pourquoi t'as pensé que quelqu'un l'avait volé?

— Y s'était quand même pas sauvé tu-seul, c't'enfant-là! Pis comme j'avais dit à tout le monde qu'y'était trop gros, j'ai pensé que quelqu'un l'avait pris pour que j'arrête d'en parler...

— C'te personne-là aurait été ben niaiseuse. C'tait la pire chose à faire... On te connaît, on en aurait entendu parler pendant des années!

— Certain! Pis fais-toi-z'en pas, tu vas en entendre parler pendant des années de ce que t'as faite...

— Moman! J'ai juste été échanger le gros Enfant Jésus pour un plus petit, pis là, t'as l'Enfant Jésus de la grosseur que tu voulais! T'es pas contente?

— J'ai pas dit que j'étais pas contente d'avoir un Enfant Jésus de la bonne grosseur! Y'est ben beau, y est parfait, comme l'ancien mais en plus propre, c'est pas ça le problème! Le problème, c'est que j'ai pensé qu'y avait un voleur dans' maison, c'est ça le problème. Pis que j'ai accusé tout le monde. J'vas être obligée d'aller m'excuser auprès de ta grand-mère, de ta tante, de tes frères, pis j'vas encore avoir l'air d'une folle... Deux fois dans la même journée, un record!

— J'peux le faire pour toi, si tu veux...

— Aïe! Ça va faire, là, les services que j'te demande pas! Chus capable de faire mes excuses moi-même! J'ai juste pas le goût!

— Y vont trouver ça drôle, maman, quand tu vas leur expliquer...

— Ben oui. J'les entends rire d'ici!

— Pis... Écoute, j'ai une surprise pour toi. R'garde, j'en ai un deuxième. J'avais décidé de pas te le dire, pis de le sortir juste quand l'autre serait trop vieux pis trop sale, mais j'pense que tu vas être contente quand j'vas te dire que comme l'autre était gros, y coûtait plus cher, ça fait que j'en ai eu deux pour le prix d'un !

— Pense pas que tu vas avoir le dernier mot parce que tu me sors une surprise à la dernière minute ! Tu mérites une punition, a' va être moins grosse parce que tu pensais bien faire, mais tu vas quand même en avoir une !

— Maman ! C'est pas juste !

— Ben c'est comme ça. Y faut jamais faire des peurs à sa mère.

— Pis si j'te fais des excuses ? Comme tu vas en faire aux autres ?

— En tout cas, dis-toi ben que si tu me fais des excuses, mon p'tit gars, j'trouverai pas ça plus drôle ! Mais… J'te félicite. Pour le deuxième Enfant Jésus. T'as fait un bon *bargain*.

— Ça veut-tu dire que chus pardonné ?

— Ouan. Pardonné. Pis puni. »

Le bridge

« J'peux-tu te poser une question, papa ?

— J'espère que ça sera pas trop compliqué, parce que chus t'en train de fumer tranquillement ma cigarette d'après le souper, sur le balcon, pis j'ai pas envie de discuter avec toi pendant des heures. Quand tu commences…

— Non, ça sera pas compliqué. En tout cas, je pense pas.

— Ben, vas-y. Shoote.

— C'est quoi un bridge ?

— Un bridge ? C'est un jeu de cartes. Pourquoi ?

— Non. Pas ça. Pas le jeu de cartes. Ça je le savais. Ma tante Tititte aime ben ça, a' veut toujours jouer à ça, pis grand-maman Rathier pis ma tante Teena refusent tout le temps parce qu'y trouvent ça plate… En plus, y disent que ça prend quatre joueurs pis sont presque toujours juste trois… Non, écoute… Avant le souper, t'as dit à maman que t'étais allé acheter ton bridge, pis j'ai pas compris ce que ça voulait dire…

— Ah, ça ! Bridge, c'est un mot anglais qui veut dire pont.

— Un bridge, c'est un pont ?

— Oui.

— T'as acheté un pont ? Pourquoi tu ris ?

— Ben… Oui, c'est ça, j'ai acheté un pont.

— Pourquoi faire ?
— Y était en vente.
— Pourquoi ?
— Je le sais-tu, moi ? Y demandaient pas cher, ça fait que je l'ai acheté.
— Y est où, ce pont-là ?
— J'te l'ai pas dit ? C'est le pont Jacques-Cartier !
— T'as acheté le pont Jacques-Cartier ?
— Oui, mon petit gars !
— Le pont Jacques-Cartier qu'on traverse pour aller chez grand-maman Rathier ?
— Ben oui !
— Qu'est-ce que tu vas faire avec ça ?
— Ça paye, un pont ! Tous les chars qui passent dessus payent cinq cennes !
— Quand on passe dessus, ça coûte cinq cennes ?
— Non, nous autres on traverse en autobus, c'est l'autobus qu'on paye…
— Pourquoi ?
— Ben… on serait obligés de payer deux fois, pis ça serait trop long…
— Pis tout cet argent-là va te revenir ? Pas celui de l'autobus, là, mais celui du pont Jacques-Cartier ?
— Ben oui !
— Ça veut dire qu'on est riches !
— Euh… C'est-à-dire… T'sais, un pont ça coûte cher à entretenir. Faut le nettoyer, faut le déneiger l'hiver, faut le peinturer de temps en temps pour pas qu'y rouille, c'est toute une job !
— Pourquoi tu l'as acheté, d'abord ?
— T'es pas content que j'aye acheté un pont ?
— Vas-tu avoir le temps d'entretenir ton pont pis d'aller travailler à l'imprimerie en même temps ? Mon oncle Fernand pis mon oncle Gérard vont-tu

t'aider ? Pis mes deux frères ? Allez-vous juste faire ça, à c't'heure, vous occuper de notre pont ?

— Écoute, t'as juste six ans, tu vas rentrer à l'école dans trois semaines, t'es trop jeune pour comprendre ces affaires-là… Ça prendrait trop de temps à t'expliquer…

— Ben, explique-moi-le pareil !

— J't'ai dit que j'avais pas envie de discuter avec toi pendant des heures…

— Ça prendrait des heures ? Pourquoi ?

— Tiens, ton mot favori qui revient. Pourquoi. Pourquoi tu veux toujours savoir pourquoi ?

— Parce que je veux savoir pourquoi ! Parce que ça m'intéresse !

— Ben, pourquoi le pont Jacques-Cartier t'intéresse ?

— Papa ! Tu viens de me dire que tu l'as acheté ! Pis chus tout excité de savoir que le pont Jacques-Cartier est à nous autres ! On va-tu pouvoir déménager dans une plus grande maison ? Plus proche d'un parc ? J'vas-tu pouvoir avoir tous les jouets que je veux ? Maman va-tu avoir une machine à laver ? Pourquoi tu soupires comme ça ?

— Écoute… On va arrêter ça là, là. J'pense que j'me sus embarqué dans une affaire qui a pas d'allure… Écoute, j'ai voulu te jouer un tour, faire une farce, pis c'est en train de devenir… C'est pas le pont Jacques-Cartier que j'ai acheté…

— C'est quel pont, d'abord ? Le pont Victoria ?

— C'est pas un pont comme ça…

— Comment ça, c'est pas un pont comme ça…

— C'que je veux dire… Un bridge, c'est aussi une autre sorte de pont.

— Quelle autre sorte de pont ?

— T'as pas remarqué que ta mère a regardé dans ma bouche quand j'y ai dit ça ?

— Oui, mais a' nous demande souvent d'ouvrir notre bouche pour voir si on s'est ben brossé les dents…

— Ben c'est ça. Un bridge, un pont si tu veux, c'est dans la bouche.

— On a un pont dans la bouche !

— Pas tout le monde. Pas toi. Tu t'en rappelles, quand papa s'est fait arracher les dents du haut, l'année passée, parce que ça faisait trop mal ?

— Oui…

— Pis que je te faisais peur quand j'te souriais ?

— Oui…

— J'ai été obligé de te consoler parce que tu faisais des mauvais rêves…

— Certain, que j'm'en rappelle, j'te reconnaissais pus…

— Ben ce qui remplace les dents, ça s'appelle un bridge. Ça s'appelle un dentier, aussi, mais j'aime pas ça, ce mot-là. Celui que j'avais était temporaire, tu comprends, pis là le temps est venu de le remplacer par un permanent. C'est ça que j'ai été acheter, à matin… Pis j'vas l'avoir la semaine prochaine.

— Pourquoi tu m'as dit que c'était le pont Jacques-Cartier, d'abord ?

— Écoute, tu vas pas te mettre à pleurer pour une farce que j'ai voulu te faire ! J'ai juste fait un jeu de mots avec un mot qui avait deux significations…

— Mais j'étais tellement content ! J'avais hâte d'aller dire ça aux Jodoin pis aux Beausoleil… Aïe, mon père qui est propriétaire du pont Jacques-Cartier, on rit pus !

— Écoute, Michel, c'tait juste une farce ! C'est juste un tour que j'ai voulu te jouer ! J'pensais que tu trouverais ça drôle !

— Y a rien de drôle là-dedans ! J'pensais qu'on était propriétaires d'un pont, pis on est juste propriétaires d'un dentier ! Franchement ! »

Début d'une grande amitié

« On vous a vus déménager, hier. Ma mère m'envoie vous souhaiter la bienvenue sur la rue Fabre. C'est quoi vos noms ?

— Dis pas ton nom, Louise.

— Non, non, Ginette. »

Tu ? Vous ?

« Aimez-vous-tu ça, vous, les films, ma tante Tititte ?

— Mon Dieu, quelle sorte de phrase que tu viens de me faire là, toi ?

— Est-tait pas correcte, ma phrase ?

— Y avait trop de vous pis de tu…

— Où, ça ?

— Ben… un peu partout, je dirais… D'abord le tu. Le tu avait pas d'affaire là.

— C'est vrai, je vous dis pas tu. Ma mère me tuerait.

— C'est pas pour ça… Le tu, tu le mets juste quand tu parles pas à quelqu'un…

— Ben, quand je parle, je parle à quelqu'un…

— Oui, c'est pas ça que je veux dire. Quand tu poses une question où y est pas question de quelqu'un, tu mets le tu.

— Donnez-moi un exemple…

— Ben là, tu m'en demandes beaucoup… Euh… Je sais pas, là. Par exemple, si tu dis c'est-tu vrai, c'est-tu possible, c'est-tu l'heure de faire telle affaire, là ton tu est correct. C'est pas le tu de quelqu'un, c'est un tu… un tu général, si tu veux. Dans ta phrase, tu me parlais, tu me disais vous, deux fois, pis t'ajoutais un tu qui servait à rien…

— Comme ça, si j'avais dit : "Aimez-vous ça, vous, les films, ma tante Tititte", ça aurait été correct ?

— Oui. Excepté que t'étais pas obligé de me dire vous deux fois.

— Pourquoi ?

— Ben "Aimez-vous ça, les films, ma tante Tititte", c'tait suffisant. Tu vois ?

— Oui. Mais je pourrais pas dire : "aimez-tu ça…"

— Non, tu me dis pas tu. J'viens de te l'expliquer.

— Mais à ma mère, j'pourrais y dire : "Aimes-tu ça…"

— Oui.

— Parce que j'y parle à elle pis que j'y dis tu…

— C'est ça.

— Mais vous dites qu'on dit tu juste quand on parle pas à quelqu'un. Là, j'parle à ma mère…

— Mais tu viens de le dire. Tu dis tu à ta mère. C'est pas la même sorte de tu.

— Ah, oui, c'est vrai, y a deux sortes de tu. Le tu quand on parle à quelqu'un, pis le tu quand on parle à personne… C'est pas simple.

— C'est pas compliqué non plus si tu y penses avant de le dire.

— Ça peut être long…

— Comment ça, ça peut être long ?

— Si je pense tout le temps avant de parler, ça peut être long avant que je dise ce que j'ai à dire !

— Pas si long que ça. Pense vite. Pis tu vas finir par t'habituer…

— Vous pensez ?

— Ben oui !

— Les autres trouveront pas que chus trop lent ?

— Dis-toi qu'y font peut-être la même chose que toi de leur côté…

— Pas chez nous, en tout cas. Tout le monde parle assez vite ! Quand ma tante Bartine est fâchée, des fois, j'ai de la misère à comprendre c'qu'a' dit… Mais c'est vrai qu'a' fait pas c'te genre de faute là… En tout cas, j'ai jamais remarqué. Remarquez que j'aurais pas pu m'en apercevoir, je le savais pas…

— Tu vas voir, va venir un moment donné oùsque tu y penseras même pus. Ça va sortir automatiquement.

— Oui, mais en attendant, faut que je me guette…

— Ben oui.

— Attendez… J'vas essayer de vous poser une question sans me tromper. J'vas y penser comme faut… OK. J'en ai une. "C'est-tu vrai que vous vendez des gants chez Ogilvy, vous, ma tante Tititte?" Y avait-tu une faute?

— Y avait pas de faute, mais tu m'as dit vous deux fois.

— Mais c'est pas une faute.

— Ça sert à rien, mais c'est pas une faute, non. Mais tu vois, tu-suite après tu m'as demandé : "Y avait-tu une faute?", pis avant tu m'as demandé : "C'est-tu vrai?", pis là, t'as utilisé le tu comme y faut, deux fois, sans y penser!

— C'est vrai que j'y ai pas pensé! Vous avez raison, c'est sorti tu-seul! C'est ben pour dire, hein? Aïe, j'vas en avoir appris, des affaires, avec vous, à soir! J'vas le conter à ma mère… Même si c'est un peu compliqué. Mais je devrais peut-être laisser faire, j'ai peur de pas être clair.

— Mais revenons-en à ta question de tout à l'heure. Pourquoi tu m'as demandé si j'aimais ça, les films?

— J'ai été aux vues avec ma mère pis mes deux petites amies, Ginette pis Louise Rouleau, hier. On a vu *Bambi*. C'tait ben beau. Même si on a pleuré tous les quatre quand la mère de Bambi est morte. Sa mère meurt, au beau milieu du film, pis c'est ben triste. Connaissez-vous-tu ça, vous, *Bambi*, ma tante ? »

Le méchant Hérode

« Oui, Michel. Tu as une question à me poser ?

— Oui, mademoiselle Karli.

— C'est au sujet de ce que je viens de raconter ?

— Oui, mademoiselle Karli.

— Il y a quelque chose que tu n'as pas compris ?

— Oui, mademoiselle Karli.

— Tu sais que c'est tiré de l'Évangile, hein ? L'Évangile selon saint Matthieu. Il faut croire tout ce qu'il y a dans les Évangiles…

— Oui, je sais. Mais y a des affaires, dans votre histoire, que j'ai pas compris…

— Mais tu sais que même si tu n'as pas compris, il faut que tu y croies… C'est un dogme.

— Ben oui.

— Regarde tes petits camarades, autour de toi, ils ne se posent pas de questions, eux, ils se contentent de m'écouter et de me croire quand je lis des extraits des quatre évangiles…

— Mais je peux poser les miennes pareil ?

— Parce que t'en as plusieurs ?

— Oui.

— Bon, vas-y. Mais je te préviens que même si je ne peux pas y répondre, il faudra que tu croies ce que je viens de raconter…

— J'ai pas dit que je croyais pas, j'ai juste dit qu'y a des choses que je comprenais pas… J'aimerais ça croire pis comprendre en même temps.

— Alors vas-y…

— Bon. Dans votre histoire, là, vous dites que le méchant roi Hérode a eu peur quand y a appris qu'un nouveau roi des Juifs venait de naître à Bethléem. Y avait peur que le nouveau roi prenne sa place.

— Oui.

— C'tait juste un bébé, mademoiselle Karli, y pouvait pas prendre sa place ! Pourquoi le méchant Hérode aurait eu peur d'un bébé ?

— Michel, tu es plus intelligent que ça. Un bébé, ça grandit…

— Ben oui, mais ça grandit pas si vite que ça ! Ça veut dire que Hérode avait peur d'avance pour dans vingt ou vingt-cinq ans ? Y avait peur pour quand Jésus serait devenu grand ?

— Oui. Les rois, ça peut régner longtemps. Je vous ai raconté, l'autre jour, que la reine Victoria, en Angleterre, avait régné pendant plus de soixante ans au dix-neuvième siècle… C'est long, soixante ans ! Beaucoup de choses peuvent se produire ! Hérode a eu peur pour son avenir, c'est tout. Il voulait rester roi de Judée le plus longtemps possible. Il a eu peur de perdre son trône un jour. Alors il a pris les moyens pour le garder… C'est clair ? Ça répond à ta question ?

— Oui. J'avais pas pensé à ça. Mais qui est-ce qui y avait dit, à Hérode, qu'y'avait un nouveau roi des Juifs qui venait d'arriver ?

— Il me semble qu'on dit quelque part dans l'Évangile que c'était les trois Rois mages qui l'avaient prévenu en retournant chez eux.

— Sont allés dire à un roi qu'un autre roi venait de venir au monde ? Après avoir donné des cadeaux à l'autre pis s'être prosternés devant lui ?

— C'est ce qui est écrit.

— Pourquoi y ont fait ça ?

— C'était des mages, Michel, ils pouvaient peut-être voir dans l'avenir…

— C'tait pas une raison pour le dénoncer !

— Ils ne l'ont pas dénoncé…

— Ben oui, y l'ont dénoncé ! Pis c'était pas écrit dans l'histoire que vous nous avez lue, ça, là…

— Non, c'est vrai… En tout cas, pas de cette façon-là.

— Ç'aurait été plus clair si ça avait été écrit, y me semble.

— J'ai dit qu'il ne fallait pas critiquer les évangiles, Michel… Les Rois mages devaient avoir leurs raisons.

— J'critique pas, j'veux comprendre !

— Tu as compris, là ?

— Ben… oui, je suppose.

— Tu peux te rasseoir.

— J'ai dit que j'avais plusieurs questions, mademoiselle Karli…

— Écoute. Le cours achève, j'ai autre chose à faire que de répondre à tes questions.

— Rien qu'une, d'abord.

— Bon. Vas-y.

— Quand y a vu ça, le méchant Hérode a fait tuer tous les enfants d'en bas de deux ans, c'est ben ça ?

— C'est ça qui est écrit, oui. À cette époque, les gens pouvaient être très cruels.

— Pis vous nous avez déjà dit que saint Jean-Baptiste était juste un peu plus vieux que Jésus…

— Oui, c'est ce qu'ils disent. C'était un parent. Son cousin.

— Comment ça se fait qu'y est pas mort, d'abord ?

— Qu'est-ce que tu veux dire ?

— Saint Jean-Baptiste, si y était juste un peu plus vieux que Jésus, si y avait en bas de deux ans, pourquoi les soldats l'ont pas tué ? Si y ont tué tous les bébés du pays ? Ça veut dire aussi que Jésus est resté le seul bébé du pays ? Y avait personne avec qui jouer ? Y a passé son enfance tu-seul ?

— Tu commences à m'exaspérer, Michel ! Ils ne disent pas qu'Hérode a fait tuer tous les bébés du royaume ! C'était peut-être juste ceux de son village, de Bethléem. C'était un tout petit village, Bethléem, il n'y avait peut-être pas beaucoup de petits bébés à tuer… Je ne sais pas… une vingtaine, peut-être…

— Pis saint Jean-Baptiste vivait dans un autre village ?

— C'est sans doute ça, oui.

— Vous êtes ben sûre que les Rois mages avaient nommé Bethléem… Pas les autres villages…

— Oui. Ça, c'est écrit. En toutes lettres. Saint Jean-Baptiste vivait sans doute assez loin de Bethléem pour être protégé contre les soldats du roi Hérode. À Nazareth, peut-être… Écoute, je ne sais plus, là, le cours est terminé, on reparlera de tout ça une autre fois…

— J'en reviens pas pareil.

— De quoi ?

— De c'qu'y ont fait ! Les Rois mages ! Pourquoi venir de si loin saluer la venue d'un nouveau roi, pis se prosterner devant lui, pis y donner des cadeaux, si c'est pour aller le vendre tu-suite après ! De quel côté y étaient ? Du côté du méchant roi Hérode ? Aïe, c'est vraiment pas clair, c't'histoire-là…

— Il y a quatre Évangiles, Michel, peut-être que tout ça est expliqué ailleurs… En attendant, va dîner, ta mère t'attend. Et arrête de te poser des questions. Ça peut être dangereux pour toi… C'est plus facile de croire, crois-moi.

— Attendez que j'y conte ça, à ma mère ! A' n'en reviendra pas ! J'pense qu'on a ça, les quatre z'évangiles, chez nous… On pourrait peut-être fouiller… »

Smoked meat

« Irais-tu me chercher un smoked meat lean au Three Minute Lunch, mon homme ?

— Maman ! Y est quatre heures et demie ! On mange dans une heure ! Tu me dis toujours de pas trop manger avant le souper pour pas gâcher ma faim…

— Vous autres, vous mangez dans une heure. Pas moi.

— Justement. J'ai jamais compris pourquoi tu manges jamais en même temps que nous autres…

— Ça m'énerve de manger en même temps que vous autres. J'ai toujours peur que vous ayez besoin de quequ'chose pis que je sois obligée de me lever de table. J'aime mon manger chaud.

— On est capables de se servir tout seuls !

— Ben non, justement ! C'est pas comme ça que je vous ai habitués. Surtout pas ton père. Y a rien de plus dangereux au monde que ton père avec une louche de soupe chaude dans les mains !

— Tu le gâtes trop…

— J'vous gâte toutes trop, tu veux dire… Mais ton père pis tes frères travaillent fort, pis toi aussi, à l'école, je suppose… Ça vous permet de vous reposer un peu…

— Les mères de mes amis attendent pas d'avoir fini la vaisselle pour manger… Quand j'vas manger chez les Beausoleil, là, madame Beausoleil mange avec nous autres, pis a'l' a six enfants ! Pis madame Jodoin en a quatre.

— Ben chus pas madame Beausoleil ! Ni madame Jodoin ! Pis j'ai la paix pour manger quand la vaisselle est faite, es-tu capable de comprendre ça ? J'm'assois au bout de la table pendant que vous vous effoirez tous les quatre devant la télévision, chus tranquille, je mange ce que je veux, pis j'ai pas de comptes à rendre à personne…

— Pourquoi tu dis ça ?

— Les grosses personnes comme moi, Michel, ça pense toujours que tout le monde les guette quand y mangent… Chus sûre que ta madame Beausoleil, pis ta madame Jodoin, là, sont minces comme un fil, qu'y ont pas ce problème-là…

— On te guette pas, quand tu manges, maman, pourquoi tu dis ça…

— Je le sais, c'est ça que je te dis, *j'pense* que vous me guettez… pis chus mal à l'aise. Quand chus tu-seule à table, j'peux me resservir tant que je veux, personne a rien à dire parce que personne me voit…

— Mais tu manges toujours tu-seule… Pis tard. Des fois, y est sept heures !

— Ça me dérange pas.

— T'aimerais pas mieux t'asseoir à table avec nous autres ? Jaser pendant qu'on mange tout le monde ensemble ?

— Ça m'empêche pas de jaser avec vous autres, tu le sais très bien. Chus assis sur ma chaise, à côté de ton père, pis j'parle avec vous autres pendant que vous mangez… Qu'est-ce que ça changerait si j'étais en train de manger avec vous autres ? Si y a de quoi, chus moins occupée pour vous poser des questions.

— J'trouve pareil que ça a pas de bon sens… Que tu devrais manger avec nous autres, comme les autres mères.

— C'est ben toi, ça… J'te demande un petit service, pis ça se transforme en discussion qui a pus de fin… T'es pas capable de juste dire oui, maman, quand je te demande une commission ?

— Mais tu me demandes d'aller te chercher un gros smoked meat à quatre heures et demie de l'après-midi !

— D'abord, j'ai pas dit un *gros*, j'ai dit un *lean*, c'est pas pareil ! Pis y est pus quatre heures et demie, y est quasiment cinq heures moins quart, parce que t'arrêtes pas de discuter ! Pis si ça continue comme ça, y va être *vraiment* trop tard ! Chus quand même pas pour *tenderiser* ma viande en mâchant mon smoked meat ! Si tu t'étais envenu de l'école tu-suite à quatre heures, aussi. T'as encore jasé avec ton ami Réal Bastien, je suppose ! Deux vraies belettes ! Quand vous commencez, vous êtes pus arrêtables ! Si t'étais arrivé plus de bonne heure, tu-suite après l'école, j'aurais probablement fini de manger mon smoked meat à l'heure qu'il est !

— Ben c'est ça, c'est de ma faute.

— Certain que c'est de ta faute. Tu le sais que j'ai souvent besoin de toi quand t'arrives de l'école…

— Ouan, quand c'est pas le smoked meat du Three Minute Lunch, c'est les biscuits ou les petits gâteaux de chez Broekaert…

— Michel, juge-moi pas !

— J'te juge pas. Mais tu nous dis toujours de faire attention à notre santé, de surveiller ce qu'on mange, pis toi…

— C'est ça, si ça continue, tu vas me parler de ma santé…

— Certain…

— Ben j'veux pas en entendre parler. Pis tu diras à Nick de pas me glisser de gras dans ma sandwich. La dernière fois, y avait des bouts de gras qui pendaient un peu partout, pis j'ai eu de la misère à la finir…

— Mais tu l'as finie pareil…

— Michel, si tu dis un autre mot, j'me lève de ma chaise berçante, j'sors d'la maison, j'traverse la rue Mont-Royal, pis j'vas m'installer au comptoir du Three Minute Lunch. Vous vous arrangerez avec les rognons de porc!

— On mange des rognons de porc? Tu me l'avais pas dit! J'pense que y a rien au monde que j'aime plus que ça!

— Ben c'est ça. Si tu veux qu'y soient prêts à temps, va me chercher mon smoked meat tu-suite!

— Oui! Pis lean! Pis sans gras! Double moutarde?

— Double moutarde!»

Bambi (encore)

— C'est quoi que t'as aimé le plus dans *Bambi* ?

— C'est quand y apprend à patiner sur le lac gelé pis qu'y se mêle toute dans ses petites pattes raides. J'ai ben ri.

— Y apprend pas à patiner, niaiseuse, y apprend à marcher sur la glace. C'est pas pareil ! Y a jamais vu ça, de la glace, parce qu'y est venu au monde au printemps, pis y essaye de marcher dessus…

— Arrête donc de m'appeler niaiseuse ! Tout le monde arrête pas de me dire que chus t'intelligente !

— Arrête de dire des niaiseries, Ginette, pis j'vas arrêter de t'appeler niaiseuse, c'est toute !

— C'est pas parce que j'avais pas compris qu'y apprenait à marcher sur la glace que chus niaiseuse ! Tu trouves tout le monde niaiseux, t'appelles tout le monde niaiseux ! Regarde-toi donc, Michel Tremblay, avant de traiter les autres de niaiseux ! Penses-tu que t'es toujours intelligent ? J'te dis que des fois…

— Ben oui, mais comment tu pouvais penser qu'y apprenait à patiner, y avait même pas de patins !

— Ben, tu vois, tu viens d'en dire une, niaiserie ! Niaiseux ! Bambi, c't'un animal ! Y pourrait pas porter des patins !

— Dans les cartoons, les animaux en portent, des patins, tu sauras !

— Quand c'est des animaux qui s'habillent comme nous autres ! Dans *Bambi*, c'est des vrais animaux, qui vivent comme des animaux, dans la forêt, y sont pas habillés comme Donald Duck ou ben Mickey Mouse !

— C'est justement, y a pas de raison pourquoi Bambi aurait porté des patins ! J'avais raison !

— Ben oui, on sait ben, t'as toujours raison, toi...

— Pas avec ma mère, en tout cas...

— Avec la mienne non plus, tant qu'à ça...

— Pas moyen d'avoir raison, avec elle. Jamais !

— Penses-tu que c'est vrai qu'y ont raison juste parce que c'est nos mères ?

— Pantoute. La mienne, des fois, on dirait qu'a' fait exprès pour me contredire... On dirait quasiment qu'a'l' aime ça ! En parlant de nos mères, as-tu pleuré quand la mère de Bambi est morte, toi ?

— Certain ! Pis Louise aussi ! Pis j'pense que maman aussi. En tout cas, a' s'est caché le visage avec ses mains pour le reste de la vue. Après, a' nous a dit qu'a'l' avait le rhume, mais on l'a pas crue.

— Ma mère, elle, a' pleurait pas, a' criait quasiment au meurtre dans le théâtre ! On aurait dit que c'était une de ses parentes qui venait de mourir ! Tout le monde la regardait. A' pleurait plus fort que les enfants, c'est pas ben ben mêlant... J'pensais qu'on serait obligés de sortir tellement a' faisait du bruit en se mouchant.

— Pis toi ?

— Certain, que j'ai pleuré... J'pense que je l'oublierai jamais. Quand j'ai entendu le coup de fusil, là... c'est ben simple... j'ai arrêté de respirer ! J'leur pardonnerai jamais d'avoir tué la mère de Bambi...

— Qui, ça ?

— Ben, ceux qu'y ont fait la vue, là, les dessinateurs pis tout ce monde-là… Pis surtout Walt Disney.

— C'est qui, ça ?

— Je le sais pas, mais y doit être important parce que c'est son nom qu'on a vu en premier quand la vue a commencé. J'ai demandé à ma mère, a' m'a répondu que c'était le réalisateur, que c'était lui qui décidait de toute ce qu'y avait dans la vue… Si j'avais son adresse, j'y écrirais.

— Si y est si important que ça, y lira sûrement pas la lettre d'un petit gars de huit ans… Y l'ouvrira même pas.

— Si y l'ouvre pas, y saura pas l'âge de la personne qui y a écrit. Niaiseuse !

— T'as pas l'écriture d'un adulte, y va savoir tusuite que c'est un enfant qui y écrit ! Niaiseux !

— J'vas déguiser mon écriture ! J'vas imiter celle de mademoiselle Karli ! Niaiseuse !

— T'es pas capable ! Ta main d'écriture est trop laide ! Mademoiselle Karli arrête pas de te le dire ! Niaiseux !

— En tout cas, j'vas y dire que chus plus vieux, que chus un père de famille, pis j'vas y demander d'arrêter de faire pleurer mes enfants… Pourquoi tu ris ?

— J'essaye de t'imaginer avec des enfants…

— Qui te dit que j'en aurai pas ?

— C'est pas ça que je dis, je dis juste que c'est drôle de t'imaginer avec des enfants parce que t'es trop jeune…

— Si on se marie ensemble, nos enfants vont être pas mal niaiseux, hein ?

— J'me marierai jamais avec toi, Michel Tremblay !

— Tu diras peut-être pas la même chose dans dix ans.

— Je changerai jamais d'idée !

— On verra ben ! Dans le temps comme dans le temps, comme dit ma grand-mère. En tout cas, pour en revenir à *Bambi*, j'ai eu de la misère à suivre le reste de la vue… J'pensais rien qu'à ça. De toute façon, c'tait presque fini.

— Moi aussi, j'ai eu de la misère à suivre… J'essayais d'imaginer que j'étais à la place de Bambi.

— Moi aussi !

— Pis ?

— Pis, ben, j'ai ben d'la misère à imaginer que ma mère est pus là…

— Moi aussi…

— Est tellement importante dans la maison. On dirait qu'est toujours partout. A' sait tout, on peut rien y cacher… Des fois c'est fatiquant. Mais des fois c'est ben commode. Pis… Je l'aime ben que trop pour la perdre.

— Pareil pour moi…

— Qui c'est qui prendrait soin de nous autres ?

— Ouan. Pourquoi y nous ont mis ça dans la tête ? Vas-y, écris-la ta lettre…

— On dirait qu'y ont fait exprès pour nous faire peur. J'veux pas la perdre, ma mère !

— Moi non plus… Moi aussi je l'aime ben que trop.

— En tout cas, on est peut-être des niaiseux, mais on est pas des sans-cœur… »

Un livre sans images

« Une chance que tu les as trouvées, cher ti-gars, j'sais pas ce que j'aurais faite… J'étais tellement énervée…

— Vous voyez pas pantoute sans vos lunettes, grand-maman ?

— J'vois, mais pas de proche. Ça, c'est des lunettes pour lire de proche. J'aurais pas pu lire, tu comprends…

— Comment ça se fait que j'les ai trouvées dans les toilettes, vos lunettes ? Avec le livre ?

— Parce que j'lis jusque-là, cher ti-gars.

— Comme papa ?

— Ton père, c'est mon garçon, y a dû prendre ça de moi… Quand c'est trop long, on lit, ça passe le temps. Pis merci de m'avoir rapporté mon livre, aussi. J'sais pas comment ça se fait que j'les avais oubliés là… J'vieillis, j'oublie ben des affaires…

— En tout cas, y sent pas ben bon, votre livre, grand-maman… Pis y est pas mal vieux, pis sale.

— J'aime ça ce que ça sent, les vieux livres. Ça sent le vieux papier…

— … pis la poussière.

— Oui, c'est vrai, ça sent la poussière.

— J'ai éternué deux fois en traversant la maison…

— Moi, ça me fait pas éternuer. Même, des fois, j'me colle le nez dessus. C't'un livre qui vient de la bibliothèque municipale. C'est ta cousine Jeannine qui me l'a rapporté. Quand on pense à tout le monde qui l'ont lu… R'garde, y est tout usé. Y est tout décousu. Y faut faire attention quand on tourne les pages…

— Pis vous aimez ça.

— Ben oui. Des fois, y les réparent, à la bibliothèque, pis ça me désappointe.

— Pourquoi ?

— Parce que ça paraît. Y a de la colle dans la craque des pages, du papier collant brun, c'est ben laid… Y essayent de faire du neuf avec du vieux, pis ça a juste l'air du vieux raboudiné… Quand y les remplacent par des nouveaux, c'est correct. Ça sent pas pareil, y sont neufs, y sentent encore l'encre d'imprimerie, y craquent quand on les ouvre, mais quand y se mêlent de les réparer…

— Ma tante Bartine, a' dit qu'on peut attraper des maladies avec ces vieux livres là. A' veut même pas y toucher.

— Ta tante Bartine, a'l' inventerait n'importe quoi pour pas lire.

— A'l' aime pas ça ?

— Je sais pas. Mais j'pense plutôt qu'est pas capable de tenir en place. Même quand on écoute le Théâtre Ford, le jeudi soir, au radio, est pas capable de rester assis à écouter… Y faut toujours qu'a' se trouve quequ'chose à faire pendant la pièce. A' va se préparer du thé, a' va brasser des affaires dans' cuisine…

— J'sais. Maman pis vous, vous y dites toujours de revenir.

— Ben oui, a' pourrait manquer des affaires importantes… Pis ensuite on serait obligées de toute y expliquer… Mais peut-être que ça y ferait rien… Ça fait qu'essaye de l'imaginer dans un coin, en train de lire un livre… A' viendrait ben folle! Surtout un livre comme celui-là… Y est ben sérieux, c'est une histoire pas mal compliquée… J'ai même eu de la misère au commencement…

— L'avez-vous-tu fini? Non, c'est pas comme ça qu'on dit ça… Ma tante Tititte me l'a expliqué, l'autre fois… Euh… L'avez… vous… fini, celui-là? Là, je l'ai! Pas de tu qui sert à rien!

— Non. Mais c'est ben beau. J'vas peut-être le relire une deuxième fois si j'ai le temps avant d'aller le reporter. J'veux être sûre d'avoir tout compris.

— Vous allez le relire?

— Ben oui. Tu lis ben tes livres des dizaines de fois, toi!

— Mais y a même pas d'images! Mes livres, moi, je les relis parce que y a plein d'images. J'viens que je sais le texte par cœur pis que j'ai même pus besoin de le lire… J'sais même pas comment vous faites pour tout lire ça sans images! Vous comprenez toute pareil?

— Ben oui. Les images, j'm'les fais dans ma tête.

— Hein! Comment vous faites ça?

— Je le sais pas. Ça se fait tu-seul. Tu lis, là… Comment je pourrais dire ça, cher ti-gars… Tu lis, pis au lieu de voir les mots, à la longue tu vois des images! Si y décrivent des paysages, tu les vois, si les personnages parlent, tu les entends…

— Voyons donc! Ça se peut pas!

— Tu vas voir, quand tu vas commencer…

— Ah, non, j'lirai jamais ça, moi, des livres pas d'images…

— Quand tu vas grandir…

— Vous me dites toujours ça, tout le monde. On dirait que toute va m'arriver, quand j'vas grandir…

Comme si y m'arrivait rien pendant que chus petit…

— En tout cas, à un moment donné tu vas être obligé de lire des livres sans images, à l'école… Tu peux pas lire des livres d'images toute ta vie!

— Ah, oui? Pis j'vas être obligé de me faire mes propres images? J'vous dis que j'ai pas hâte…

— Y a des livres qui en ont, des images…

— Ah, oui?

— Oui. Ça s'appelle des illustrations. Mais y en a pas beaucoup… Peut-être toutes les vingt-cinq pages.

— Ah. C'est plate.

— Les livres que tu transportes pour nous autres, tu les as jamais ouverts pour voir si y avait des images dedans?

— Non. J'me contente de les transporter.

— Tu dis toujours que t'aimes ça transporter des livres. Quand je te demande d'aller en porter chez madame Allard, en face, tu dis jamais non…

— C'est parce que ça vous fait plaisir. Pis, j'sais pas pourquoi, y a toujours quelqu'un dans' maison qui me demande d'aller chercher un livre ou ben d'aller en porter un à quelqu'un d'autre…

— C'est parce qu'on lit beaucoup.

— Mais pas ma tante Bartine.

— Non, pas ta tante Bartine.

— Vous êtes sûre que quand y vont me donner un livre sans images, à l'école, j'vas être obligé de le lire?

— Oui. Cher ti-gars. Pis tu vas voir, tu vas aimer ça. Tu vas t'habituer vite, les images vont te venir tu-seules, les voix aussi… Tu pourrais même commencer tu-suite si tu voulais…

— Ah, oui?

— J'vas t'en acheter un facile à lire dans la section des enfants chez Larivière et Leblanc…

— J'sais pas si ça me tente…

— Force-toi, un peu… Tu vas aimer ça… C'est le premier livre que j'ai lu, moi aussi. J'avais à peu près ton âge…

— Y avait des livres à Duhamel ?

— On était loin, Michel, mais on était pas des ignorants !

— C'est pas ça que je voulais dire.

— Mais c'est ça que t'as dit. Fais attention, réfléchis avant de parler…

— C'est ce que maman me dit tout le temps…

— Ta mère a pas toujours raison, mais là… En tout cas, mon livre, là, ça s'appelle *L'auberge de l'Ange-Gardien*.

— Ça commence mal, j'comprends même pas le titre ! »

Le troisième secret de Fatima

«J'pensais pas que notre pays était connu comme ça!

— Pourquoi tu dis ça? Y est ben connu, notre pays! Y est connu partout dans le monde! C'est un des plus beaux, pis des plus grands.

— Mais je savais pas que la Sainte Vierge le connaissait!

— Que c'est que tu me contes là, toi!

— C'est mademoiselle Karli qui l'a dit, maman!

— Comment est-ce qu'a' peut savoir ça, elle, que la Sainte Vierge connaît le Canada! A' y a-tu téléphoné pour y dire?

— Ris pas, maman. C'est sérieux. C'est à cause du secret de Fatima!

— Quoi? Quel secret de Fatima?

— Ben, le troisième. Celui qui vient d'être révélé...

— J'te suis pas, là...

— T'as jamais entendu parler des trois secrets de Fatima?

— Ben oui, j'avais une quinzaine d'années quand la Sainte Vierge est apparue aux enfants de Fatima... C'était vers la fin de la guerre de 14. Mes sœurs pis moi on rêvait que ça nous arrive pis on la cherchait partout... Alice nous a même fait accroire, un jour, qu'a' la voyait, au coin d'une ruelle, mais on l'a pas crue...

A'l' a toujours été un peu menteuse, ma sœur… pis joueuse de tours…

— Ben y viennent de révéler le troisième secret, maman !

— Où, ça ? Quand, ça ?

— Je le sais pas, au Vatican, probablement… J'ai eu assez peur quand mademoiselle Karli nous l'a révélé à nous autres aussi… Aïe, c'est pas des farces une affaire pareille… Y avait des enfants qui pleuraient, dans la classe…

— Voyons donc ! J'en aurais entendu parler ! Le prêtre l'aurait dit en chaire, pendant la messe, dimanche passé, y en auraient parlé au radio…

— Y paraît que c'est nouveau nouveau…

— Comment ça se fait qu'a'l' a su ça avant nous autres, elle, mademoiselle Karli ?

— Ben… Je pense qu'a' venait juste de l'apprendre… directement de monsieur le curé, je suppose.

— Franchement ! Y auraient pu s'arranger pour faire peur aux parents avant de faire peur aux enfants !

— Ben veux-tu le savoir, maman, le troisième secret de Fatima, ou si tu veux pas le savoir ?

— Certain, que je veux le savoir ! Depuis le temps qu'on en entend parler. Y nous ont assez cassé la tête avec c't'histoire-là ! C'est-tu la troisième guerre mondiale ? C'est ça que tout le monde pensait…

— Non, c'est pire que ça !

— Que c'est qui peut être pire que la troisième guerre mondiale, veux-tu ben me dire ? La peste ? Comme dans l'ancien temps ?

— Écoute ben ça, t'en reviendras pas… Y paraît qu'en haut de sa branche d'arbre, la Sainte Vierge aurait levé les bras, là, comme ça, comme a' fait tout le temps, comme sur les statues, qu'a'l' aurait pris une grande respiration, pis qu'a' l' aurait dit aux trois enfants de Fatima : "Pauvre Canada."

— Pauvre Canada ?

— Ben oui. Comme si y allait nous arriver malheur ici, au Canada.

— Ben oui, mais quand a' vivait, la Sainte Vierge, le Canada avait pas encore été inventé ! A' peut pas le connaître !

— Tu sais ben qu'y savent toute, au ciel... Pis mademoiselle Karli a dit que si on n'était pas obéissants, que si on respectait pas les lois de l'Église, ici, au Canada, des beeeen grands malheurs allaient nous arriver. C'est comme ça qu'a'l' a dit ça : des beeeen grands malheurs... avec les bras levés, un peu comme la Sainte Vierge...

— T'es sûr qu'a' vous a pas dit n'importe quoi ?

— Pourquoi tu dis ça ? Tu la crois pas ?

— Ben écoute, j'veux ben la croire, c'est ta maîtresse d'école, pis a'l' a plus d'éducation que moi, mais j'trouve ça dur à avaler. D'abord, ces enfants-là, là, Bernadette pis les deux autres...

— C'est pas Bernadette, maman. Bernadette, c'est à Lourdes.

— Ah oui, c'est vrai, j'les mélange toujours... Ben ces trois enfants là, Lucie, François, pis...

— Jacinthe.

— Jacinthe, oui. Ben y allaient peut-être même pas à l'école, comment tu veux qu'y ayent connu le nom de notre pays ?

— Peut-être qu'y le connaissaient pas, que la Sainte Vierge leur a dit de le retenir par cœur...

— Pis l'Église aurait attendu quarante ans avant de nous le dire ? Sont ben bêtes !

— Peut-être que c'est la Sainte Vierge qui a demandé qu'y attendent quarante ans...

— Michel! Y me semble que j't'ai déjà dit de pas toute toute croire c'qu'y disaient au sujet de la religion, à l'école...

— Mais pourquoi a' nous aurait dit ça si c'est pas vrai?

— Que c'est qu'a' vous a dit qu'y fallait faire, ta mademoiselle Karli, pour éviter les beeen grands malheurs? Hein?

— Ben, j'sais pas, là... Ah oui, qu'y fallait obéir aux lois de l'Église...

— Ben c'est ça. Obéir. Si on est obéissants, rien va nous arriver...

— Tu penses pas qu'a'l' aurait pu inventer ça juste...

— Pas elle. Eux autres.

— Qui, ça, eux autres? Le Vatican?

— Ben non. On est pas assez importants pour eux autres... J'pense à ceux d'ici... Ceux qui ont intérêt à ce qu'on obéisse... Les curés qui ont le nez fourré partout. T'es trop jeune pour que j't'explique ces affaires-là, Michel. Laisse-moi juste te répéter une chose que je te dis depuis longtemps...

— Je le sais ce que tu vas dire.

— Ben écoute pareil.

— Les moutons.

— Ben oui, les moutons. Chus prête à croire ben des affaires, pis Dieu sait qu'y a ben des affaires qui ont pas de bon sens dans ce qu'y nous disent, mais quand y vont trop loin... Je sais pas, on dirait que j'm'en rends compte quand y vont trop loin... Comme pour c't'histoire-là... Voyons donc! Penses-y, Michel! "Pauvre Canada!" On est pas assez importants pour que la Sainte Vierge en personne descende sur la terre pour aller dire à des enfants du Portugal, à l'autre bout du monde, qu'on va avoir des beeeen grands malheurs si on obéit pas aux lois de l'Église ! Pis les autres pays, eux autres ? Sont parfaits, en France ? Pis en Espagne ? Pis au Portugal ? Pourquoi a' leur a pas parlé de leur propre pays ? Y leur arrivera pas de malheurs si y désobéissent, eux autres ? Rien que nous autres ? Pis pourquoi la Sainte Vierge est pas venue apparaître directement au Canada, à quelqu'un d'ici, ç'aurait été ben moins compliqué ! Le message se serait rendu plus vite ! C'est parce qu'y savent qu'on est naïfs qu'y nous disent ça, Michel. Y nous font peur pour qu'on obéisse. Pis nous autres, les niaiseux…

— Des moutons.

— Ben oui. On écoute ça, on avale toute, pis y peuvent faire c'qu'y veulent avec nous autres parce qu'on a peur… Mais, j'te l'ai déjà dit, va pas répéter ça à personne… Fais semblant que tu les crois, pis pense ce que tu veux de ton côté… Pis j'aurais peut-être pas dû te dire ça pis te laisser la croire, ta mademoiselle Karli, avec son nom de chien. Karli ! A-t-on idée de s'appeler Karli !

— Mais je peux-tu continuer à croire c't'histoire-là, moi, maman ? J'trouve que c'est une belle histoire…

— Ben oui. Pis un bon jour tu vas te rendre compte que j'avais raison…

— Peut-être pas. Si c'est vrai.

— C'est ça, quand y t'arrivera des beeeen grands malheurs, tu viendras me dire que j'avais tort, que ta maîtresse avec un nom de chien avait raison, pis que la Sainte Vierge a fait un détour par le Portugal pour livrer un message au Canada à trois enfants qui savaient même pas que ce pays-là existait en leur demandant d'attendre quarante ans ! »

Un nom de chien

« C'est vrai que votre mère a dit que mademoiselle Karli avait un nom de chien ?

— Ben… oui.

— Oui, sœur directrice !

— Oui, sœur directrice.

— Et est-ce qu'elle vous a dit de le lui répéter ?

— Ben non ! C'est sorti tu-seul !

— Vous n'avez pas été capable de vous retenir ?

— C'est de sa faute, aussi… sœur directrice.

— La faute de qui ?

— De la maîtresse.

— Vous pouvez l'appeler par son nom… même si elle a un nom de chien !

— Mademoiselle Karli. Sœur directrice.

— Expliquez-moi ça.

— Ben, a'l' aime pas ça quand je pose trop de questions.

— Oui, je sais.

— A' vous en a parlé ?

— Depuis longtemps. Continuez.

— Pis là… Ben, je suppose que j'en ai posé une de trop, pis a' s'est choquée après moi. C'était la première fois…

— Et c'était à propos de quoi, cette question ?

— Ben… C'était à propos du français…

— Du français ?

— Pas tout à fait du français… Écoutez, sœur directrice, j'ai remarqué que dans les livres de grammaire, les exemples qu'y donnent pour expliquer les règles sont toujours des exemples religieux… Des phrases de la Bible ou ben des Évangiles ou ben des vies de saints. Pis je voulais savoir pourquoi. La maîtresse… mademoiselle Karli m'a dit que j'avais pas à critiquer ça, que c'était pas de mes affaires…

— Ça vous dérange que les exemples soient tirés des livres saints ?

— C'est pas que ça me dérange, c'est juste que je trouve qu'y doit ben avoir des exemples ailleurs… que y a pas rien que les Livres Saints qui existent… On a plein de livres chez nous, les auteurs ont ben dû suivre les règles de grammaire eux autres aussi ! Ceux qui font les livres de grammaire pourraient aller chercher là-dedans, y me semble ! Ça fait que j'y ai répondu que je critiquais pas, que je voulais juste savoir, que je voulais juste comprendre pourquoi y avait pas d'exemples qui parlaient pas de religion, pis a' s'est mis à me crier par la tête qu'est-tait tannée que je veule toujours tout comprendre, pis là, ben… Comme je vous disais tout à l'heure, ma sœur, c'est sorti tu-seul, pis j'y ai dit ce que ma mère avait dit. Je sais pas pourquoi j'ai fait ça, je vous jure, je suppose que j'avais pus rien à y répondre, que j'ai dit ce qui me passait par la tête…

— Et elle a réagi en vous donnant des coups de règle de bois sur les mains avant de vous envoyer ici ?

— Juste sur la main droite.

— Vous qui aimez tant ça tout comprendre, j'espère que vous allez réfléchir, essayer de *comprendre* pourquoi vous avez fait ça… Montrez-moi votre main…

— Chus pus capable de plier les doigts.
— Ça fait très mal ?
— Oui, sœur directrice.
— Je vais lui parler. Je ne vais pas vous défendre, vous méritiez une punition, mais elle est peut-être allée trop loin.
— J'ai saigné un peu.
— N'essayez pas de faire pitié !
— J'essaye pas de faire pitié. J'dis juste que j'ai saigné. R'gardez, y a du sang séché sur ma chemise…
— Et ne me répondez pas par-dessus le marché !
— Excusez-moi… sœur directrice.
— Avant de vous renvoyer en classe, moi aussi j'aurais une question à vous poser, moi aussi j'aimerais comprendre une chose… Quand vous avez dit à mademoiselle Karli qu'elle avait un nom de chien, est-ce que les autres élèves ont ri ?
— Ben oui ! Y ont trouvé ça assez drôle !
— Et vous êtes bien sûr que ce n'est pas pour les faire rire, justement, que vous avez dit ça ?
— Hein ? Ben non ! J'ai pas eu le temps de réfléchir à ça…
— Vous êtes sûr ?
— Ben oui… sœur directrice.
— Pensez-y. Faites un examen de conscience… Un *sérieux* examen de conscience… Demandez-vous si vous n'êtes pas un peu le clown de la classe avec toutes vos questions qui font rire tout le monde.
— Hein ? Pantoute ! Mes questions énervent quasiment autant les autres élèves que mademoiselle Karli…
— Je vous ai dit de ne pas me répondre ! Retournez en classe. Je vous ai assez vu ! Je vais parler à mademoiselle Karli.
— Merci… sœur directrice.

— Ne me remerciez pas. Je ne viendrai certainement pas à votre défense. Je veux juste lui parler de sa règle de bois qu'elle utilise un peu trop souvent pour autre chose que pour mesurer… Une chose, avant que vous partiez…

— Oui, sœur directrice…

— Vous direz à votre mère de garder ses réflexions pour elle ! Surtout devant vous ! Et que Karli n'est pas un nom de chien, mais le nom d'une ville du sud des Indes.

— C'tu vrai ?

— J'ai vérifié dans le dictionnaire quand mademoiselle Karli est arrivée à l'école Bruchési.

— Parce que vous trouviez qu'a'l' avait un drôle de nom, vous aussi ? Un nom pas catholique ? C'est ça ?

— C'est assez, les questions, là ! Je commence à comprendre l'exaspération de mademoiselle Karli… »

* * *

« T'as pas été y dire ça !

— J'te le dis, maman, c'est sorti tu-seul !

— Y a rien qui sort tu-seul, Michel ! Si tu l'as dit, c'est parce que tu voulais le dire… J'pourrai pus jamais regarder c'te femme-là en face, moi ! J'pourrai pus assister aux réunions de parents, j'aurais ben que trop honte ! J'vas être obligée d'envoyer ton père, pis y haït ça pour tuer, ces réunions-là ! Y trouve les parents niaiseux, pis les professeurs encore pires ! C'est pas mêlant, si j'me retenais pas, j'déménagerais dans une autre paroisse juste pour que tu changes d'école ! Pis si jamais je croise la sœur directrice de ton école, j'meurs là !

— Voyons donc, c'est pas si pire que ça !

— C'est pire que pire, Michel ! Insulter une sœur…

— C'est pas une sœur, maman, c'est une maîtresse d'école.

— Ça fait rien, a' travaille avec des sœurs ! Pis la sœur directrice est au courant ! D'un coup que toute la paroisse l'apprend ! D'un coup que monsieur le curé l'apprend ! L'évêque ! Le pape ! Mon Pie XII que j'aime tant ! D'un coup que chus excommuniée !

— Maman ! J'ai pas insulté la religion au complet, j'ai insulté juste une maîtresse d'école !

— C'est vrai. J'me laisse encore emporter… Une maîtresse d'école, c'est moins grave qu'une sœur… C'est de ta faute, aussi ! Si t'arrêtais de toute répéter ce que je dis !

— J'répète pas toute ce que tu dis…

— Ben non, tu répètes juste les pires affaires !

— Une affaire, maman, j'ai répété une affaire !

— Une de trop. Une qui va nous mettre dans le trou.

— Ben non. J'me sus excusé auprès de mademoiselle Karli, a'l' a dit qua'l' oublierait tout ça…

— Tu penses, toi ? R'garde ben ça dans ton prochain bulletin si a' se revenge pas sur tes notes… En attendant, j'vas aller vérifier dans le dictionnaire des noms propres ce que la sœur directrice t'a dit. Pis si Karli est vraiment une ville du sud de l'Inde, j'vas y acheter un billet de bateau aller simple, à ta maîtresse d'école, pour qu'a' voie d'où a' vient pis pour qu'on la revoie pas de sitôt ! Pis ris pas ! »

Monsieur Locas

« J'aimerais ça que vous les laissiez un peu plus longs, c't'année, monsieur Locas.

— Non. Ta mère m'a appelé pendant que tu t'en venais pis a' m'a dit de faire comme d'habitude, comme à chaque été. De te couper les cheveux…

— … comme un homme, oui, j'sais.

— Si tu le sais, pourquoi tu me demandes de faire ça ? J'ai pas pantoute envie qu'a' me rappelle…

— D'abord, ça veut rien dire "comme un homme" ! Les hommes ont pas toutes les cheveux courts ! Même mon père a pas les cheveux si courts que ça ! J'ai jamais compris c'qu'a' voulait dire, au juste…

— A' veut que t'aye l'air propre pour l'été.

— On est pas obligé d'avoir le crâne rasé pour avoir l'air propre ! Pis chus tanné d'avoir un rase-bol tous les étés. J'aimerais ça les garder un peu plus longs. Jean-Paul Jodoin, lui, y garde son toupet sur le front, sa mère vous demande pas d'y raser le coco, pis je trouve que c'est plus beau.

— Y risque d'avoir chaud pendant les canicules, par exemple…

— Voyons donc ! C'est pas un pouce ou deux de plus…

— C'est chaud, les cheveux… J'y ai dit, à Jean-Paul, mais y m'a répondu que sa mère y donnait la permission, pis que c'est ça qu'y voulait…

— Y est ben chanceux… Ma cousine Hélène porte ses cheveux sur les épaules tout l'été, pis a' s'en plaint pas… Pis ma tante Bartine y dit rien.

— C'est pas parce qu'a' s'en plaint pas qu'a'l' a pas chaud, ta cousine… A'l' endure peut-être la chaleur pour être belle…

— J'haïs ça, avoir les cheveux trop courts, c'est pas compliqué à comprendre ! J'ai l'impression que j'en ai pus ! En plus, les oreilles me sortent de chaque côté, on dirait des portes de grange !

— Tu commences à te soucier de ton apparence… Les filles commencent-tu à t'intéresser ? T'as quel âge, là ?

— Dix ans.

— Ben, c'est là que ça commence.

— C'est pas ça que j'ai dit.

— Tes oreilles rouges me disent le contraire… Moi, à ton âge…

— Mes oreilles sont rouges parce que chus gêné que vous parliez de ça !

— Écoute… J'peux te les laisser un poil plus long, si t'insistes…

— Oui ! S'il vous plaît !

— Mais pas assez pour que ta mère s'en rende compte.

— Ça, ça se peut pas, par exemple.

— Laisse-moi faire. Chus pas le meilleur barbier du quartier pour rien.

— Ma mère dit que vous êtes le plus cher, aussi…

— Mais j'en vaux la peine.

— C'est ça qu'a' dit, oui…

— Assis-toi, j'vas te mettre la guenille autour du cou.

— Pas trop serrée.

— Oui, je sais, pas trop serrée.

— Pis êtes-vous obligé de me mettre de l'arcanson dans la tête?

— Pourquoi tu demandes ça?

— J'aime pas ce que ça sent… Pis y paraît que c'est avec ça qu'y frottent les cordes des violons…

— J'ai des clients qui me demandent de leur en mettre même si y en ont pas besoin, justement parce qu'y aiment ce que ça sent…

— Ben pas moi. Pis en plus, j'ai l'impression que ça attire les maringouins…

— Mais ça tient les cheveux raides…

— Justement, j'aimerais mieux qu'y se tiennent pas trop raides sur ma tête, qu'y retombent, un peu…

— T'es ben capricieux aujourd'hui, toi? As-tu une blonde?

— Arrêtez-donc de parler de ça!

— La petite Ginette Rouleau, là, tu te tiens toujours avec…

— J'me tiens avec sa sœur, aussi! Ça veut pas dire que j'ai deux blondes!

— Fâche-toi pas!

— Faites-moi pas fâcher, pis j'me fâcherai pas.

— J'te dis que tu dois être quequ'chose à élever, toi.

— Chus peut-être pas facile à élever, mais chus pas plate!

— Sois poli, parce que mes ciseaux pourraient s'énerver…

— OK. J'dis pus rien, pis vous laissez mes cheveux plus longs… »

L’amour

« Maman…

— Qu’est-ce qu’y a encore !

— Luc Thériault, dans ma classe, y dit que sa mère fait des mots croisés pendant que son mari y fait l’amour, le samedi soir. Qu’est-ce que ça veut dire ?

— Arrête de dire des niaiseries, là, pis mange ta sandwich au baloney ! »

Bambi (suite et fin)

«J'ai pas tout compris parce que c'était en anglais. Mais c'tait ben beau pareil. Ça se passe dans la forêt, là oùsqu'on va jamais, là où y a juste des animaux de la forêt. Au commencement, Bambi vient de venir au monde. C't'un tout petit bébé. C't'un… c't'un… comment c'qu'on appelle ça, le bébé d'un chevreuil? On l'a appris à l'école l'autre jour… Un faon! C'est ça, un faon. Bambi c'est un petit faon, pis c'est drôle parce qu'y apprend à se lever tu-seul pis à marcher le premier jour! Ma mère m'a dit que ça m'avait pris presque un an pour me tenir debout, moi, pis Bambi, lui, envoye donc sur ses quatre pattes tu-suite en venant au monde! Pis en plus y commence tu-suite à explorer la forêt! Même si sa mère le guette, ça prend du front pareil! Là, là, y fait la rencontre des autres animaux de la forêt qui vont devenir ses amis: un lapin ben cute qui s'appelle Thumper pis qui mange tout le temps des affaires que je voudrais jamais voir dans mon assiette, des grosses fleurs qui ont l'air piquantes – ma mère a' dit que c'est des fleurs de trèfle, mais c'est mauve, c'est pas vert! – pis une mouffette ben gênée qui s'appelle Flower. C'est drôle, hein, une mouffette qui s'appelle Fleur! En tout cas, moi, j'ai ben ri! Y deviennent des amis, toujours, comme moi avec mes amis de la rue Fabre, pis y ont l'air d'avoir ben du fun ensemble. Y courent, y rient, y se jouent des tours… Mais y a une chose que je me suis demandé, par exemple. On dirait qu'y viennent toutes au monde en même temps. À l'automne. C'est l'automne, au commencement de la vue, vous comprenez… Les animaux viennent-tu toutes au monde en automne, dans la forêt? Toutes en même temps? Faudrait que je le demande à mon père, y sait peut-être ça, lui… En tout cas, moi chus né en été, pis chus le seul de ma gang. Aïe, j'ai un ami qui est venu au monde le 27 décembre! Deux jours après Noël! Faut-tu être malchanceux! En tout cas, y ont l'air d'avoir ben du fun, dans la vue, ça court dans la forêt, ça continue à se jouer des tours, c'est ben drôle pis y a de la ben belle musique… Mais, tout d'un coup, l'hiver arrive. C'est beau parce que Bambi se réveille à côté de sa mère, un matin, pis c'est tout blanc autour de lui. Son père est pas là, y est peut-être parti à la chasse. J'me demande ce que ça mange, les chevreuils, on voit jamais manger Bambi dans le film… En tout cas, c'est drôle, parce que y a jamais vu ça, lui, de la neige, pis sa mère a pas l'air de vouloir y expliquer, ça fait qu'y part. Pis là, y rencontre ses amis pis y essayent toutes de marcher pis de patiner sur le lac qui a gelé pendant qu'y dormaient. J'vous dis que les animaux sont pas plus habiles que nous autres! Surtout qu'y ont pas de patins, c'est des animaux. J'ai dit tout à l'heure qu'on voyait pas manger Bambi, mais c'est pas vrai. Pendant l'hiver, on voit sa mère qui arrache des écorces d'arbres pour y donner à manger. Sont capables de vivre juste en mangeant des écorces d'arbres? Y doivent pas être forts par boutes! C'est vrai que pendant c'te partie-là de la vue, y ont l'air pas mal malheureux… Y marchent la tête basse. En tout cas, le printemps arrive, y a une ben belle chanson qui doit parler du printemps, pis *là* ça devient intéressant! Parce qu'y rencontrent… *l'amour*! Ben oui, toutes en même temps! Sont venus au monde en même temps, pis y tombent en amour en même temps, c'est-tu assez drôle! C'est-tu vraiment comme ça, dans la forêt? Y faudrait que je demande à mademoiselle Karli. Non, pas à elle, a' me parle quasiment pus. Papa, peut-être. Mais pas maman. A' veut pas parler de ces affaires-là… En tout cas, Thumper rencontre une lapine que j'ai appelée Thumpette, Flower rencontre un mouffet, c'est-tu comme ça le masculin de mouffette? – Flower, c'tait une p'tite fille, la seule de la gang –, pis Bambi une belle bambinette. Y me semble qu'y sont un peu jeunes, si j'ai bien compris y ont juste un an, mais je suppose qu'y grandissent vite dans la forêt… Ça joue, ça court, ça se donne des fleurs, pis je suppose que ça se marie… Les animaux, y se marisent-tu? Pas comme nous autres, là, je le sais, mais… y fondent-tu une famille, comme nous autres? Ça doit, même si le père de Bambi on le voit pas ben ben souvent. Je sais pas si la mère de Bambi se plaint, comme madame Lafortune, à côté de chez nous, parce qu'a' voit jamais son mari… Mais ma mère m'a dit de pas parler de ces affaires-là, que ça nous regarde pas. Même si elle pis ma tante Bartine… En tout cas, là j'arrive à la partie triste de la vue. Imaginez-vous donc que la mère de Bambi, qui était si fine pis qui avait une si belle voix, se fait tirer par des chasseurs! L'automne est revenu, y pleut, les feuilles tombent des arbres, pis on voit des chasseurs qui rentrent dans la forêt. J'pense que la mère de Bambi y dit de faire attention, de se cacher, mais chus pas trop sûr parce que j'ai pas compris c'qu'a' disait… C'est assez triste, là, ma tante, c'est effrayant ! D'après ce que j'ai compris, la mère de Bambi veut le protéger des chasseurs, a' saute par-dessus un chemin pour qu'y la voient, elle, au lieu de regarder Bambi, pis pendant qu'est dans les airs, on entend un coup de fusil. Quand j'y pense, j'ai encore envie de pleurer ! En tout cas, j'vous dis que ça braillait dans le théâtre ! Les plus petits hurlaient, nous autres on se contentait de se cacher le visage, pis les parents se tassaient dans leurs fauteuils… Ma mère, elle, a' pleurait tellement que j'ai pensé qu'on serait obligés de sortir du théâtre, a' dérangeait tout le monde… Y a un monsieur qui est entré dans la salle pour nous dire de pas avoir peur, que la vue finissait bien, pis tout le monde s'est calmé. C'est vrai que la fin de la vue est ben belle… À la fin de la vue, là, y a quand même pas juste deux ans, ça a pas de bon sens ! Bambi est devenu un graaand cerf avec des graaandes cornes. Ma mère, a' dit que ça s'appelle des bois, mais c'est pas en bois, c'est en corne ! En tout cas, c'est ben beau. Y est en haut d'une montagne, là, sa bambinette est à côté de lui, pis on sent qu'y est devenu le roi de la forêt ! C'est quand même un peu triste à cause de sa mère, mais c'est ben beau pareil. Pis y nous disent pas ce que son père est devenu. Y est peut-être mort de peine. Pis j'aurais aimé ça savoir ce que ses amis sont devenus. Mais y vont peut-être faire une suite… En tout cas, j'aimerais ça ! C'est une belle histoire, hein, ma tante Teena ?

— Oui, mais je la connaissais.

— Vous la connaissiez ?

— Oui, j'ai déjà vu ce film-là… Ah, longtemps avant que tu viennes au monde.

— Hein ? C'est pas nouveau ?

— Non. C'est pas mal vieux. J'ai vu ça quand c'est sorti la première fois. Ah, peut-être vers… je sais pas… Tiens, j'y pense, j'ai pas vu ça avant que tu viennes au monde, j'pense que que c'est sorti l'année que t'es arrivé.

— Hein !

— C'est ben 1942 ?

— Ben oui !

— Ben c'est ça. Je l'ai vu en 1942. Au Palace.

— Aïe, chus venu au monde en même temps que Bambi ! Attendez que j'dise ça à mes amis, y en reviendront pas ! Mais, j'y pense, là, pourquoi vous m'avez laissé conter toute la vue si vous la connaissiez ?

— Parce que c'était intéressant d'entendre ta version… Pis que j'avais pas besoin de t'en conter une de mon bord… J'ai quasiment l'impression que c'est pas moi qui t'as gardé, à soir, c'est toi qui m'as gardée. Faudrait que t'ailles te coucher, là, par exemple, ton heure est dépassée.

— J'aimerais mieux attendre mes parents…

— Y vont peut-être arriver ben tard. T'sais, quand y se mettent à jouer aux cartes on sait pas quand ça va finir…

— Ça vous tentait pas, vous ? Vous aimez ça, pourtant, jouer aux cartes, vous aussi.

— J'ai trop perdu, la semaine passée… C'est pour ça que j'ai accepté de venir te garder pour la soirée… comme ça tes cousines ont pu aller voir le dernier film du beau Gary Cooper…

— Ben, chus capable de rester réveillé jusqu'à leur arrivée, vous savez…

— J'en doute pas, mais ta mère m'a dit pas plus tard que dix heures.

— À moins que…

— À moins que quoi ?

— À moins que vous m'en contiez un, un film, en les attendant…

— Ah, p'tit vlimeux, c'est là que tu voulais en venir, hein…

— Un que j'ai pas le droit d'aller voir…

— Si t'as pas le droit d'aller le voir, pourquoi j'te le conterais ?

— Ben… Conter pis voir, c'est pas la même chose…

— C'est des histoires pour les grandes personnes. Y a pas d'animaux qui vont patiner… Pis tu me dis ça juste parce que tu veux pas aller te coucher.

— Non, ça m'intéresse pour vrai.

— Bon, OK, j'vas te conter *Mrs. Minivers* que j'ai vu la semaine passée. Mais j't'avertis, si tu t'endors, j'te réveille pas !

— Ayez pas peur, j'm'endormirai pas… »

Tartes aux pommes et autres délices

« Mes amis en mangent à l'année longue, eux autres !

— Ben c'est ça, va rester chez tes amis…

— C'est pas une réponse, ça, maman…

— T'arrêtes pas de dire que certains de tes amis sont nourris quasiment rien qu'aux beurrées de beurre de pinottes, y mangent certainement pas des tartes aux pommes à l'année longue. Fais-moi pas parler !

— Les Beausoleil, y en mangent à l'année longue, eux autres !

— Quand les Fêtes arrivent, y doivent pas avoir des ben grosses surprises, tes Beausoleil !

— Mais pourquoi y faut que les tartes ça soit des surprises pour le temps des Fêtes ? J'comprends pas…

— Une autre affaire que tu comprends pas. Des fois je me demande si j'ai pas mis au monde un nono qui comprend rien.

— En tout cas, chus pas assez nono pour pas comprendre que tu réponds pas à ma question.

— Écoute, Michel. Quand j'étais petite, chez nous, en Saskatchewan, on mangeait des tartes, des pâtés à' viande pis des beignes juste aux Fêtes. J'ai été élevée comme ça. C'est comme ça que tout le monde faisait à Sainte-Maria-de-Saskatchewan. J'ai été élevée à attendre toute l'année que ça sente la tarte aux pommes dans' maison ! Pis quand le temps des Fêtes arrivait, mes sœurs pis moi on était excitées comme des punaises !

— Mais pourquoi qu'y fallait que vous attendiez toute l'année ?

— Parce qu'on était pauvres, je suppose.

— Mais nous autres, on est pas pauvres !

— C'est pus une question de pas être pauvres ou non pour moi… Écoute, si j'en faisais tout le temps, des maudites tartes aux pommes, vous sauteriez pus de joie, toi pis ton père, quand ta tante Robertine, ta grand-mère Tremblay pis moi on se démène pendant une bonne semaine, en décembre, pour cuisiner tout ce qu'on va manger pendant le temps des Fêtes ! Une douzaine de tartes aux pommes, une douzaine de pâtés à' viande, douze douzaines de beignes brassés dans le sucre en poudre. Y aurait pus rien pour vous surprendre ! Tu resterais pas à côté du poêle quand j'te fais frire un bonhomme fait avec le reste de la pâte à beignes, t'en aurais mangé toute l'année !

— Mais c'est long, attendre un an !

— J'vous fais des gâteaux ! À l'année longue !

— C'est pas la même chose…

— Ça serait la même chose si j'en faisais plus souvent, des tartes, des pâtés pis des beignes… Tu serais pas plus excité par les tartes aux pommes que par les gâteaux au chocolat si t'en mangeais plus souvent…

— C'est pas vrai, ça…

— Ben oui, c'est vrai. Y a pus personne qui saute d'excitation, dans' maison, quand je sors mon gâteau au chocolat du four.

— Mais on te dit qu'y est bon !

— Pas toujours. Tandis que le jour de Noël, quand on arrive à la table avec les beaux pâtés à' viande tout chauds…

— J'comprends, ça fait un an qu'on n'en a pas mangé! Mais c'est pas tellement les pâtés à' viande qui m'intéressent…

— Ben non, on sait ben, c'est le sucré.

— Tu peux pas savoir comment j'aime ça, des tartes aux pommes, maman!

— Ben, tu vas continuer à les attendre tant que je vivrai parce qu'y est pas question que je change mes habitudes. Ça s'appelle des traditions, Michel, pis des traditions on respecte ça! C'est des affaires qui sont belles, qui reviennent pas souvent, pis qui font plaisir… Si je faisais un arbre de Noël toutes les semaines, tu te tannerais pas?

— Ben oui…

— Ben c'est la même chose. Dis-toi que les tartes aux pommes vont avec l'arbre de Noël. Tiens, si tu veux, à partir d'aujourd'hui on va appeler les tartes aux pommes les tartes de Noël, pis le problème va être réglé…

— T'es donc drôle!

— En attendant, va donc me chercher mon *smoked meat*, tu m'as donné faim avec tes histoires de tartes aux pommes. Pis va donc souper chez tes amis qui mangent des beurrées de beurre de pinottes à l'année longue en se faisant accroire que c'est des tartes aux pommes… »

… et du Saint-Esprit

« Le Père, le Fils, j'peux comprendre… à peu près. Mais le Saint-Esprit…

— Va demander ça à ta mère.

— C'est elle qui m'envoie te le demander, papa.

— Pourtant, a' sait que chus moins au courant qu'elle pour ces histoires de religion là… A'l' a été à l'école plus longtemps que moi…

— Ça veut dire que tu le sais pas ?

— Ça veut dire que j'me sus toujours fait dire c'qu'y te disent à toi aujourd'hui : faut croire pis pas se poser de questions.

— C't'un péché si on s'en pose ?

— J'suppose, oui.

— Mortel ?

— Je le sais-tu, moi ! Tu le demanderas à ta maîtresse d'école. Est là pour ça… Est payée pour parler de ces affaires-là.

— J'pense que c'est dans mon intérêt de pas trop y poser de questions, ces temps-ci… Après l'histoire du roi Hérode…

— Écoute. Si on se demande pas comment ça se fait, c'est simple. Y a le Père, le Fils, pis le Saint-Esprit. C'est la Sainte Trinité. À eux autres trois, y paraît qu'y forment le Bon Dieu. Un Dieu en trois personnes. Faut pas se creuser les méninges, c'est comme ça.

C'est ça qu'y te disent à l'école, pis c'est ça qu'y m'ont dit à moi aussi. Demande-moi-z'en pas plus, j'en sais pas plus.

— Pis tu crois ça.

— Faut ben.

— Le Père pis le Saint-Esprit ont eu un enfant ensemble…

— Ça a l'air. Même si ça a l'air fou.

— Le Saint-Esprit, c'est une femme ?

— C't'un esprit. J'suppose qu'un esprit…

— Pourtant, c'est lui, ou ben elle, qui a faite le petit Jésus aussi, non ?

— J'te suis pas, là…

— Ben y disent que la Sainte Vierge a eu l'Enfant Jésus par l'opération du Saint-Esprit. Que c'est pas saint Joseph le vrai père de Jésus. Le Saint-Esprit a opéré le Père, ça a donné le Fils, donc c'était une femme. Ensuite y a opéré la Sainte Vierge, pis ça a donné le petit Jésus, donc c'était un homme… Quel genre de famille que c'est, donc ? Ça veut dire que le Saint-Esprit a trompé le Père avec la Sainte Vierge en changeant de sexe ? J'comprends pas… Pis le Fils, là, Jésus, c'est pas supposé être le même ? Y a fait le même enfant au Père pis à la Sainte Vierge ?

— J'te l'ai dit, c't'un esprit…

— Mettons. Un esprit, donc, c'est un homme pis une femme, pis ça a le droit de tromper son mari… pis sa femme ? C'est ça ?

— Michel ! Y nous disent de pas se poser de questions ! C'est pas du vrai monde, c'est des esprits, ça se passe dans le ciel, c'est sûr qu'on peut pas tout comprendre !

— La Sainte Vierge était pas dans le ciel… A' s'est fait opérer sur la terre… Quand le Saint-Esprit est descendu sur la terre, je suppose que saint Joseph avait le dos tourné…

— Michel, fais pas de farces avec ça en plus ! Sais-tu le nombre de péchés que t'as commis depuis cinq minutes ?

— C'est pas des péchés, papa, c'est des questions…

— En plus d'avoir à t'en confesser, tu vas te rendre fou à force de te poser des questions de même… pis tu vas me rendre fou moi aussi…

— Maman dit ça, elle aussi. Coudonc, j'vas-tu rendre tout le monde fou ?

— Si t'arrêtes de vouloir tout savoir, si tu crois, un peu, à ce qu'y te disent à l'école, tu vas rendre personne fou… Qu'est-ce que ça te donne de te poser toutes ces questions-là ! Tu trouveras jamais de réponses, y en a pas !

— Ben coudonc. Si c'est ça qu'y faut faire, j'veux ben, mais…

— Bon, ça y est, y repart !

— Ben oui, mais papa, y nous parlent de la famille, de la sainteté de la famille, pis y disent que le bon Dieu en trois personnes a fait des enfants on sait pas trop comment dans le ciel pis sur la terre sans qu'on sache si le Saint-Esprit est une femme ou un homme pis si le père de l'Enfant Jésus est son père ou non !

— Là, là, tu vas trop loin. Faut que je t'arrête. As-tu déjà entendu parler de l'excommunication ?

— Ben oui. Y nous font assez peur avec ça, à l'école…

— Ben si tu continues comme ça…

— Papa ! Dis pas ça !

— J'te parle pas d'aujourd'hui. Aujourd'hui, t'es trop jeune, pis je suppose que c'est normal que tu croyes pas toute c'qu'on te dit. Mais y faudrait que t'arrêtes. J'te dis pas que tes questions sont pas intelligentes, j'te dis juste qu'y faut pas se les poser, sont dangereuses pis y peuvent nous mener loin. C'est la religion, Michel, c'est plus grand que nous autres. Pis y faut croire c'que la religion nous dit.

— Toute ?

— Ben… j'suppose, oui.

— Ben, tu demanderas à maman qu'a' te parle du troisième secret de Fatima ! »

Jeunesse dorée

« Ça a pas de bon sens de te mettre dans des états pareils pour un programme de radio !

— Mais c'est tellement beau !

— J'veux ben croire, mais j'arrive de l'école pour dîner, pis j'te trouve écrasée dans ta chaise berçante en train de brailler en tenant ton appareil de radio dans tes bras !

— J'ai pas pu me retenir ! A' venait de mourir, pis j'avais envie de la bercer…

— Qui, ça ?

— Yvette Brind'Amour ! Ça fait des années que Roland Chenail la fait souffrir, pis a'l' a fini par mourir de peine ! Pis je gage qu'y ira même pas à son enterrement !

— Maman ! Tu lis des romans de Victor Hugo, on regarde des téléthéâtres ensemble le dimanche soir, pis tu te laisses avoir par un radioroman qui dure depuis des années pis qui répète toujours les mêmes histoires de femmes qui souffrent pis qui meurent de peine en attendant Roland Chenail ?

— Ça a rien à voir ! Quand je lis Victor Hugo, j'me sers de mon intelligence. Quand j'écoute mes radioromans…

— Tu deviens niaiseuse ?

— Si j'te répondais oui, qu'est-ce que tu dirais ?

— J'te dirais que j'aime mieux te trouver avec un livre dans les mains, quand je reviens de l'école, qu'un appareil de radio en plastique bleu poudre !

— Tu viendras pas me faire la leçon à midi, toi ! Pas à treize ans ! Enfant insignifiant !

— J'veux pas te faire la leçon. J'ai juste été surpris…

— Comme si t'étais toujours intelligent ! Tu dis pis tu fais assez de niaiseries dans une journée, qu'y m'arrive de douter de ton intelligence, des fois !

— Essaye pas de détourner la conversation encore une fois ! On parle pas de moi, là, on parle de toi !

— Pourtant, t'haïs pas ça quand on parle de toi…

— Maman…

— Bon, OK, j'me sus laissé surprendre à faire une niaiserie, pis ?

— Ça t'arrive-tu souvent ?

— Yvette Brind'Amour meurt pas tou'es jours entre midi pis midi et quart ! Quand je pense que j'entendrai pus sa belle voix…

— A' joue dans quasiment tou'es autres radioromans que t'écoutes…

— Mais c'est là-dedans que je l'aimais le plus…

— Quand chus malade pis que j'écoute tes radioromans avec toi, j'me demande comment tu fais pour te retrouver ! C'est toujours les mêmes acteurs pis y jouent toujours le même genre de personnages…

— Ça passe le temps…

— Mon Dieu ! T'ennuies-tu tant que ça ?

— Y a des heures de la journée oùsque j'ai rien à faire, Michel, j'ai pas toujours envie de lire du Victor Hugo, surtout pas le matin, pis chus ben contente d'avoir mes radioromans pour me désennuyer… *Tante Jeanne*, *Grande sœur*, *Je vous ai tant aimé*, *Les malheurs d'une veuve*, *Ceux qu'on aime*, *Francine Louvain*, à midi mon beau *Jeunesse dorée*… J'vois pas le temps passer… Avant, quand on restait sur la rue Fabre, y avait toujours plein de monde dans' maison. Ta grand-mère Tremblay, ta tante Robertine, vous autres, quand vous étiez des enfants. Au moins, on se chicanait! À c't'heure que ta grand-mère est morte, que ta tante est partie de son bord, qu'on est déménagés ici, que vous avez grandi, chus tu-seule toute la journée.

— Tu pourrais sortir…

— Tu me diras ça un 2 février quand y a des bancs de neige de six pieds dehors, pis le 2 août quand y fait tellement collant que je passerais ma journée dans un bain d'eau froide! Si j'avais pas mon radio…

— On dit une radio, maman.

— R'prends-moi pas en plus! Je voulais dire mon *appareil* de radio! C'est masculin!

— S'cuse-moi. T'as raison. Mais essaye de pas bercer ton appareil de radio quand tu sais que je m'en viens de l'école…

— J'vas bercer mon appareil de radio tant que je voudrai! Pis si un jour y a de la télévision le matin, j'vas la regarder! Pis j'pleurerai devant si je veux! J'ai cinquante-trois ans, chus capable d'être responsable de mes actes!

— Choque-toi pas! Mais mets-toi à ma place! J'arrive ici, j'ai faim, pis j'te retrouve en sanglots…

— J'étais pas en sanglots! Exagère pas! J'pleurais, mais j'étais pas en sanglots.

— Mettons. Mais c'était quand même inquiétant! T'aurais pu, je sais pas, être malade ou quequ'chose…

— Avec mon radio dans les bras!

— J'ai pas eu le temps de penser! J'ai juste eu peur!

— Ben la prochaine fois, tu seras averti. Panique pas. Pis pense!

— Comme tu me disais quand j'étais petit pis que j'étais trop tannant : la prochaine fois, j'appelle l'asile pis j'te fais enfermer…

— T'es donc drôle.

— En attendant, qu'est-ce qu'on mange, à midi ?

— J'ai un restant de pâté chinois. Mon Dieu, la mort d'Yvette Brind'Amour m'a fait oublier de partir le four ! Tu vas être obligé de le manger froid ! »

Nowhere

« Ça te tentait pas de venir me garder, hein ?

— Pourquoi tu dis ça ?

— Ça paraissait quand t'es arrivée. Tu faisais la baboune.

— Je faisais pas la baboune !

— Ben oui ! Pis tu la fais encore ! Ma mère s'en est rendu compte parce qu'a' fronçait les sourcils quand y sont partis, papa pis elle.

— Baboune ou pas, le principal c'est que je sois là, non ?

— Si t'avais pas envie de me garder, ça veut dire que t'avais d'autre chose de mieux à faire…

— Michel ! Commence pas tes questionnages, là ! À quoi ça te servirait de savoir ça ?

— Ben… Ça me fait quequ'chose de savoir que t'avais d'autre chose à faire, pis que t'as quand même été obligée de venir me garder pareil… C'tait-tu une punition ?

— Ben non ! C'tait un service que j'ai accepté de rendre à tes parents…

— Parce que y avait personne d'autre ?

— Parce que les autres avaient des affaires à faire. Pis y était trop tard pour que tes parents disent non à l'invitation de ma tante Berthe…

— Pis pas toi ?

— Moi aussi j'avais quequ'chose à faire… Mais j'me sus t'arrangée.

— C'tait quoi ?

— C'tait quoi, quoi ?

— C'que t'avais à faire ?

— Une sortie… C'est samedi soir, le monde sortent, le samedi soir. Même tes parents vont souvent jouer aux cartes…

— Une sortie avec mes frères pis Hélène ?

— Non. Une sortie tu-seule. Avec ma tite amie Jâcqueline.

— J'la connais-tu, elle ?

— Non. C't'une fille avec qui je travaille au Kresge.

— Pour aller aux vues ?

— Non. Pour aller en nowhere…

— En quoi ?

— C't'une sortie oùsqu'on sait pas oùsqu'on va…

— J'comprends pas…

— T'es trop petit…

— Ben non. Si tu savais tout ce que j'entends ici, avec Hélène pis ma tante Robertine…

— Tant qu'à ça… Écoute… Faudrait pas que tu le répètes, par exemple…

— J'te le promets…

— Mes parents le savent pas… Y pensent que j'vas aux vues…

— OK. Je dirai rien.

— Ben… Ça s'appelle un nowhere. Un nowhere, là… Comment j'te dirais ça… D'abord, c'est de l'anglais, ça veut dire nulle part… T'sais, c'est comme si on allait nulle part qu'on connaît, mais qu'on allait quequ' part pareil… Ça coûte une piasse, on se rend au terminus du Provincial Transport, sur la rue Dorchester, ben loin dans l'ouest, ça prend quasiment une heure de tramway pour aller jusque-là, pis on est une gang à prendre une autobus qu'on sait pas oùsqu'a' va nous emmener…

— Hein ! Vous savez pas oùsque vous allez !

— Non ! C'est ça qui est le fun ! On connaît personne, pis on sait pas oùsqu'on s'en va ! Enfin, on le sait à peu près parce que y a juste deux destinations…

— Comment ça ?

— Un samedi soir, c'est à la plage Idéal, pis l'autre samedi soir c'est à Pointe-Calumet. Si on manque une semaine, on retourne à la même place que la dernière fois.

— Vous le savez, d'abord, oùsque vous allez… C'est pas un nowhere…

— Des fois, y nous font une surprise pis y nous emmènent ailleurs… Là, c't'un vrai nowhere.

— Pis rendus là, qu'est-ce que vous faites ?

— Ben… on danse, on boit de la bière, on rencontre des garçons… La plage Idéal, tu connais ça, on t'avait emmené, un dimanche après-midi, l'été passé… T'sais, tu trouvais l'eau trop froide, pis t'étais venu nous rejoindre sur la piste de danse…

— J'comprends que je m'en rappelle, j'avais pilé sur une cigarette allumée pis je m'étais brûlé la plante du pied gauche !

— Pis t'avais braillé tout le reste de l'après-midi.

— Pas si longtemps que ça…

— Écoute, j'm'en rappelle, moi aussi, tu braillais encore dans l'autobus, en revenant !

— Mais y a une chose que je comprends pas dans ton histoire…

— Y me semblait, aussi, que les questions étaient pas finies…

— Tu dis que vous y allez toutes les semaines…

— J'ai pas dit toutes les semaines… mais souvent.
— Vous devez pas être les seules à y aller souvent…
— Non, y en a d'autres…
— Donc, vous voyez toujours le même monde…
— C'pas toujours le même monde, Michel… Y en a qui s'ajoutent, y en a qui disparaissent…
— Vous allez en nowhere qui est pas un nowhere, vous allez toujours aux mêmes places, vous voyez le même monde… Pourquoi ça s'appelle comme ça, d'abord ?
— Je le sais-tu, moi ? Peut-être… Peut-être parce que ça fait mystérieux.
— Ça ferait mystérieux si vous le saviez pas, mais vous le savez !
— Écoute, t'es fatiquant, là ! C'est pas comment ça s'appelle qui est important, c'est le fun qu'on a là quand on est rendus, pis le fun qu'on a dans l'autobus…
— Quel fun on peut ben avoir en autobus ! C'est plate pour mourir ! À moins d'avoir un livre.
— C'est pas juste une autobus pour se déplacer… c'est une autobus oùsqu'on rencontre du monde pour jaser, pour rire, pour avoir du fun… On change de place, y en a qui dansent dans les allées…
— Y a-tu de la boisson ?
— Y en a qui en apportent…
— Vous commencez à boire avant d'arriver là ? Ça doit pas être beau à voir…
— J'ai pas dit qu'on se soûlait, j'ai dit qu'on buvait un peu de bière…
— C'est pas ça que t'as dit…
— Écoute, ça fait pas une demi-heure que chus t'arrivée, pis chus déjà épuisée ! T'as pas un livre à lire, là, un programme de radio à écouter ?

— Oui, mais pour te rendre service, j'vas t'écouter conter tout ce qui se passe dans ton nowhere!

— T'es donc drôle!

— Envoye! Vas-y! On a toute la soirée!»

Le couronnement de la reine

« Pis, toujours, as-tu aimé ça ?

— Ben…

— T'as pas l'air sûr…

— C'tait ben long…

— Oui, tant qu'à ça, un couronnement, ça doit être long…

— Pis y se passait pas grand-chose…

— Michel ! C't'un couronnement, c'est pas *Bambi* !

— J'sais ben, mais y avait juste des processions de monde qui marchaient pas vite, des carrosses comme dans l'ancien temps, des chevaux toutes décorés avec des plumes sur la tête, on voyait toute de loin, la reine était raide comme un barreau de chaise… Le prince Philip était figé sur son siège. Y avaient pas l'air d'avoir du fun personne !

— Y étaient pas là pour avoir du fun, y étaient là pour couronner une reine ! C'est pas une partie de Bingo, un couronnement !

— En tout cas, c'tait ben beau, tout ça, mais ça grouillait pas vite.

— Pis les couleurs, c'tait-tu beau ? C'tait une vue en couleur, hein ?

— Oui, oui, c'tait en couleur. Mais des fois y avait tellement de couleurs, justement, que ça donnait mal à la tête… Pis quand on les voyait de proche, là, ceux qui assistaient au mariage, y avait comme des taches sur l'écran, c'tait flou, on aurait dit que les gars qui filmaient tout ça connaissaient pas leus couleurs… Pis qu'y s'enfargeaient, parce que des fois l'image bougeait. En tout cas, le tapis de l'église était beeen bleu pis on le voyait beeen longtemps. Les caméras devaient être dans le jubé, parce qu'on voyait toute de haut. On voyait rarement leurs visages, juste le dessus de leurs têtes. Pis ça se passait dans une drôle d'église. Les bancs étaient pas devant l'autel, comme ici, y étaient de chaque côté d'une grande allée. Ce qui fait que pendant la messe, dans c't'église-là, le monde sont obligés de tourner la tête. Ça doit être fatiquant en pas pour rire… C'te monde-là doivent avoir le torticolis tous les dimanches, certain…

— C'est pas une église catholique, c'est une cathédrale anglicane. Ces rois pis ces reines-là, c'est une sorte de protestants… des protestants ben proches des catholiques, ça a l'air…

— Je le sais, maman, mais c'est pas une raison pour donner le torticolis au monde dans une église mal faite ! Mais le… l'espèce d'évêque, là, y ressemblait pas mal aux nôtres, par exemple, y était déguisé à peu près pareil, là, avec la tiare pis toute…

— Michel ! On dit pas ça d'un évêque ! Même anglican !

— OK. Disons qu'y ressemblait au cardinal Léger. En plus gros.

— Y paraît qu'y avait ben du monde dehors…

— Ah, oui, plus que pour la parade de la Saint-Jean-Baptiste, sur la rue Sherbrooke, j'pense…

— L'année passée, dans les journaux, y disaient que y avait plus que trois millions de personnes ! C'est plus que dans toute la province de Québec, j'pense. Pis y en a qui ont attendu pendant des heures !

— Ben oui, pour voir un carrosse passer pis une petite main qui fait des bo-byes ! Franchement ! Sont ben niaiseux.

— Dis pas n'importe quoi ! On voyait plus que sa main ! Le carrosse était découvert, je l'ai vu dans les journaux ! Une vrai Cinderella !

— Maman, tu vas pas te mettre à brailler juste à penser aux portraits de la reine que t'as vus dans les journaux l'année passée !

— Ben oui, mais ça avait l'air tellement beau…

— Mais pas pour brailler.

— Tu me connais, quand je vois quequ'chose de beau…

— Si on avait eu la télévision, aussi, tu l'aurais suivi, ton couronnement, l'année passée, pis j'aurais pas été obligé d'aller là aujourd'hui…

— Mais tu l'aurais pas vu en couleur.

— J'aurais pas manqué grand-chose… Un tapis bleu pis une robe blanche.

— Tu disais qu'y avait trop de couleurs, tout à l'heure. Décide-toi ! Mais en parlant de sa robe… C'tait toute une traîne qu'a'l' avait là, hein ? C'est comme rien, ça devait peser une tonne !

— Ça devait pas être si pire, y avait six espèces de princesses qui la portaient pour elle…

— C'étaient les dames d'honneur.

— En tout cas, y l'avaient-tu la job plate, eux autres ?

— As-tu vu ma belle princesse Margaret Rose ?

— A' devait être là, mais y avait tellement de princesses, pis y se ressemblaient tellement, que je l'ai pas reconnue. Ah, oui, j'pense que oui ! Y l'ont nommée,

une fois, j'me rappelle… C'est elle, là, qui ressemble ben gros à sa sœur ?
— Oui. En plus belle.
— Mais on l'a pas vue longtemps.
— Y devaient ben la montrer un peu, c'est la sœur de la nouvelle reine !
— Ben oui, mais qu'est-ce que tu veux que je te dise, je l'ai pas vue !
— J'aurais donc aimé ça être avec toi…
— Moi aussi. T'aurais pu m'expliquer ce qui se passait. J'comprenais rien, c'tait toute en anglais… J'aurais pas dû y aller tout seul, aussi. Quand tu m'as dit que t'étais malade, à matin, j'aurais dû rester ici. Pis c'tait à l'autre bout du monde. Le théâtre Mercier, c'est pas loin de chez ma tante Marie-Blanche, imagine ! Quasiment une heure de tramway pis d'autobus pour aller voir une affaire plate de même !
— Exagère pas, ça devait pas être si plate que ça.
— Ben oui, c'tait si plate que ça. J'sais que tu les aimes, toi, la famille royale, tu les connais toutes par leurs noms, pis tu te pâmes sur toutes les robes qu'y portent dans les magazines, mais moi, quand j'ai vu deux-trois princesses… En m'en venant j'avais décidé de te faire accroire que j'avais aimé ça, pour te faire plaisir, mais chus pas capable. Écoute, c'est pas des farces, ça a pris quasiment deux heures avant qu'y y mette la maudite couronne sur la tête !
— Michel ! J't'ai dit de pas dire maudit !
— La mautadine couronne, d'abord. Mais qu'a' soye maudite ou juste mautadine, c'tait long pareil.
— Michel ! J't'avertis ! Un maudit de plus pis pas de vues pour au moins un mois.
— OK. OK.
— Moi qui espérais que tu me contes toute la vue…

— Tu mourrais d'ennui, maman ! Chus quand même pas pour t'imiter des princes pis des princesses toutes plus vieux les uns que les autres, qui marchent au pas dans une allée d'église parce qu'y sont pas capables d'aller plus vite, pis qui se tassent dans des estrades sans avoir l'air de comprendre oùsqu'y sont ! Pendant deux heures et demie !

— Tant qu'à ça. Fallait être là pour le voir.

— Même quand on était là pour le voir, c'tait plate pareil ! Imagine-toi si je te le mime ! Quoique ça serait peut-être plus drôle…

— Y avait-tu beaucoup de monde dans le théâtre ?

— Ben non. Le monde sont pas fous. Y se dérangeront pas pour aller voir une affaire ennuyante de même… Y a ben rien que moi ! »

Classique, semi-classique, populaire

« C'est quoi, la différence, Coco ?

— C'est dur à expliquer…

— Essaye…

— Ben, t'sais, l'autre jour, quand je t'ai fait écouter un morceau qui s'intitulait *La danse des heures*, qui était joué par un gros orchestre, pis que j't'ai conté une histoire sur ce que l'orchestre jouait ? Avec le lever du soleil, les fleurs qui se réveillent, les animaux qui courent dans la forêt, pis le gros party, le soir…

— Oui, j'm'en rappelle. C'tait beau.

— Ben ça, c'était du classique. Quand y a un gros orchestre qui joue des choses sérieuses, c'est de la musique classique…

— C'tait pas sérieux tout le long… À la fin, c'était drôle.

— C'est vrai, mais ça commençait sérieux. Pis à la fin c'était drôle parce que c'est moi qui rendais ça drôle.

— Je l'ai écouté tout seul, l'autre jour, c'te disque-là. J'me rappelais pas toute de l'histoire que tu m'as contée, pis c'était un peu plate. Faut dire que j'm'étais trompé pis que j'avais commencé par le deuxième côté du 45 tours. C'tait tu-suite le party des animaux, j'tais tout mélangé…

— J'peux recommencer si tu veux…

— Oui, j'aimerais ça. Mais ça veut dire qu'y faut toujours se conter une histoire quand on écoute c'te musique-là ?

— Non, moi j'ai pus besoin de faire ça. Depuis longtemps. Mais au début, ça aide. Tu fermes les yeux, t'écoutes, pis la musique te… te suggère des histoires.

— C'est ça qu'y vous disent qu'y faut faire au cours classique ? Pis c'est pour ça que ça s'appelle un cours *classique* ?

— Non, tu mélanges toute, là. En tout cas, pour la musique classique, j'ai trouvé ça tout seul, à force d'en écouter.

— J'vas peut-être essayer de faire c'que tu dis… Avec un autre morceau, pour voir si ça marche.

— T'as neuf ans, Michel, tu viens de commencer à lire des livres sans images, tu devrais être capable de faire ça. J'te le dis souvent, use de ton imagination…

— On peut faire ça avec tous les morceaux de musique classique ?

— Au début, oui, mais je t'ai dit que vient un moment où t'en as pus besoin. T'écoutes juste la musique. T'as pas besoin d'histoire pour l'apprécier.

— Si j'y arrive, j'pense que j'vas aimer mieux continuer à me conter des histoires… Ça va être plus intéressant.

— Tu feras ce que tu voudras, d'abord que t'en écouteras…

— En as-tu beaucoup, des disques comme ça, qui content des histoires en musique ?

— Pas mal, oui. Pis tu vas voir, c'est commode, avec les 45 tours… R'garde, sont toutes en plastique transparent, les classiques sont rouge vin, pis les populaires sont rose pâle… Si tu prends un disque rouge vin, tu sais que c'est du classique ; si tu prends un rose pâle…

— Mais c'est quoi, le populaire ? Ça conte pas d'histoires ?

— Euh… D'habitude c'est de la musique rythmée avec une voix qui chante. Comme celui-là, tiens, avec Luis Mariano qui chante *Mexico* d'un bord pis *Acapulco* de l'autre… Ça, c'est du populaire.

— Comme les disques qu'Hélène achète le vendredi soir en revenant de travailler pis que ma tante Bartine trouve qu'y coûtent trop cher ?

— Oui, elle, elle achète du populaire.

— Pourquoi elle appelle ça des *plates* ?

— C'est un mot anglais qui veut dire disque. Pis comme la plupart du temps c'est des chansons en anglais, elle utilise le mot anglais.

— Mais c'est pas des 45 tours qu'elle achète, elle.

— Non, c'est des 78 tours.

— Pis sont toutes de la même couleur. Comment a' fait pour savoir la différence ? A' pourrait se tromper, acheter de la musique classique par erreur.

— Non, le titre est marqué sur l'étiquette. Y a une étiquette sur tous les disques. Pis dans les magasins de disques y a une section pour le classique d'un bord, pis une section pour le populaire de l'autre.

— Mais pas pour les 45 tours ?

— Pour les 45 tours aussi.

— Ben pourquoi y sont pas toutes de la même couleur, d'abord, comme les 78 tours, si y a pas de danger de se tromper parce qu'y sont pas dans la même section ?

— Je le sais pas, Michel ! Peut-être… peut-être pour chez vous, tiens. Quand tu prends un 45 tours, chez vous, tu sais que c'est du classique ou ben du populaire à cause de la couleur de l'étiquette ! Pis du disque !

Tu peux mettre les rose pâle d'un côté, pis les rouge vin de l'autre…

— Pis quand tu prends un 78 tours, tu le sais pas.

— C'est ça.

— Sont ben niaiseux, ceux qui font des 78 tours ! Y devraient mettre des étiquettes de couleur eux autres aussi ! Ou ben faire des disques transparents rose pâle pis rouge vin !

— Ben, c'est nouveau… Y viennent juste d'y penser pour les 45 tours, j'pense… Bon, veux-tu qu'on réécoute *La danse des heures*, là ? J'ai le temps avant d'étudier.

— J'ai une autre question.

— J'aurais dû m'en douter… Vas-y, pose-la, ta question.

— Le semi-classique, c'est quoi ?

— Michel, va chercher *La danse des heures*, j't'expliquerai ça une autre fois… »

Don José

« Coco, c'est quoi une prison méterrestée ?
— Une quoi ?
— Une prison méterrestée. T'sais, dans *Carmen*, don José chante : "La fleur que tu m'avais jetée, dans ma prison méterrestée…" Quelle sorte de prison c'est ?
— Viens, j'vas te l'écrire, tu vas comprendre… »

Le sauvage

« Madame Beaupré a fini par avoir son bébé…

— Ah, oui ?

— Ça a pris assez de temps ! Ça a l'air qu'a'l' l'avait commandé y a neuf mois ! Est-tait tellement nerveuse, qu'a' grossissait, pis qu'a' grossissait… Pis tu sais quoi ? Quand y est venu y porter, le Sauvage y a cassé les deux jambes pis est à l'hôpital pour deux semaines. Pourquoi y a faite ça, maman ? Y est ben bête !

— J'pense qu'y faudrait que t'ayes une conversation avec ton père dans pas longtemps, toi… »

Mortadelle

« J'te défends d'inviter personne à manger, à midi !

— Pourquoi ?

— Je fais des sandwichs au baloney.

— Tout le monde aime ça, des sandwichs au baloney, maman.

— C'est du manger de pauvres. J'veux pas que tes compagnons de classe sachent que j'te sers du manger de pauvres ! »

Le pique-nique

« C'est quoi, un pite-nique ?

— D'abord, on dit pas un pite-nique. On dit un pique-nique.

— OK. Un pique-nique. C'est quoi ? T'en parlais au téléphone avec grand-mère Rathier, hier, pis t'avais l'air ben excitée…

— Ben tu vois, dimanche prochain, ta tante Bartine pis moi on va préparer ben des sandwichs avec du pain tranché, du jambon, du poulet, de la salade, de la mayonnaise, on va acheter des légumes qui se mangent crus, une brique de fromage Château au piment rouge, une grosse bouteille de Kik Cola, on va tout mettre ça dans un grand panier pis avec toi on va prendre le tramway Papineau jusque dans le bas de la ville. Là, on va prendre un autobus qui va traverser la moitié du pont Jacques-Cartier pis qui va nous débarquer dans l'île Sainte-Hélène, au milieu du Saint-Laurent. Là, on va se chercher une table à pique-nique à l'ombre, on va mettre une belle nappe pis ta grand-mère Rathier va venir nous rejoindre avec son mari, monsieur Lambert. Y vont apporter le dessert. Ça fait longtemps qu'on les a pas vus pis j'espère qu'y va faire beau… En tout cas, y annoncent pas de pluie. Eux autres, y vont avoir pris un autobus à Ville Jacques-Cartier pis y vont avoir traversé l'autre moitié du pont. On va se rencontrer à mi-chemin. Pis dans un beau parc. En plein milieu du fleuve! On va manger tranquillement en dessous de l'arbre en regardant le fleuve. C'est ça, un pique-nique.

— Ça a l'air pas mal plate.

— Comment ça, ça a l'air pas mal plate!

— Ben, j'vas être tu-seul d'enfant?

— Ben oui. Les autres sont trop vieux. On leur a demandé mais y veulent pas. Après le repas, tu iras te promener, y va sûrement y avoir d'autres enfants avec qui tu vas pouvoir jouer…

— Tu voudras jamais que je m'éloigne, j'te connais, tu vas avoir peur que j'me perde… ou ben donc que je me noye dans le fleuve.

— Tant qu'à ça… Ben, que c'est que tu veux que je te dise? J'pensais que tu serais content…

— Que c'est qu'on va faire après le repas?

— Je sais pas, on va jaser… T'aimes ça nous écouter jaser…

— J'aime ça quand vous savez pas que je vous écoute… Quand vous le savez, vous faites attention à ce que vous dites.

— T'apporteras ton bolo ou ben ton bilboquet…

— J'jouerai quand même pas avec mon bolo pendant des heures!

— Coudonc, toi, essayes-tu de me gâter mon dimanche avant le temps?

— Ben non, c'est correct, on va y aller à ton pique-nique. J'm'apporterai un livre, c'est toute… »

Un mariage de pauvres

« Moi, je pensais qu'une mariée ça portait une robe blanche longue jusqu'à terre, un voile blanc pis un gros bouquet de fleurs…

— Ben oui, c'est comme ça que c'est supposé être…

— C'tait pas ça pantoute à matin…

— Non, on peut pas dire… A' faisait vraiment pitié avec sa petite robe en satin bleu pâle pis ses souliers de ballet. Pis le marié qui a perdu sans connaissance au beau milieu de la cérémonie tellement y était énervé. J'te dis que ça fera pas des enfants forts, ça.

— Pourquoi est-tait habillée comme ça, la mariée, maman ?

— C'est peut-être une robe que sa mère a essayé de raboudiner. On ben donc qu'a'l'a achetée dans une vente. C'est du monde pauvre, Michel, y a ben du monde pauvre du côté de ton père, plus que de mon côté. Y vivent de l'autre côté du pont Jacques-Cartier, à Coteau-Rouge, dans une maison pas ben propre, sont ben à plaindre.

— Nous autres, on est pas pauvres comme ça.

— On est loin d'être riches, mais on est pas pauvres comme ça, non.

— Pourquoi y sont pauvres comme ça ?

— Y peut y avoir ben des raisons. Le manque de travail, c'est la principale raison, d'habitude. Ton oncle

Rosaire a pas travaillé depuis longtemps, y dit que c'est à cause de son genou, mais moi je pense plutôt que c'est un sans-cœur, pis ses garçons sont pas assez vieux pour bien gagner leur vie. Y travaillent, mais y en a un qui est livreur dans une épicerie avec son bicycle, pis l'autre… j'sais pus trop ce qu'y fait. Y doivent pas faire beaucoup d'argent. Y ont laissé l'école ben que trop vite, y vont avoir de la misère à se trouver une job toute leur vie. Si ton père pis tes frères travaillaient pas, on serait comme ça nous autres aussi. Quand ton père a perdu sa job à l'Institut des sourds et muets, on a eu de la misère, nous autres aussi. Mais tu peux pas t'en rappeler, t'étais trop petit. Pis on avait la chance de vivre avec d'autre monde.

— Y nous ont aidés ?

— Oui, pis je l'oublierai jamais.

— Ma tante Bartine ?

— Elle, pis ta grand-mère Tremblay, pis les frères de ton père…

— Pourquoi y ont fait un mariage, mon oncle Rosaire pis ma tante Juliette, si y sont si pauvres que ça ?

— Y ont le droit de fêter eux autres aussi, Michel ! Y ont le droit d'avoir du fun, même si y sont pauvres ! Tu vois, la cérémonie à l'église était à huit heures du matin parce que ça doit coûter moins cher, ta tante Juliette avait fait le lunch elle-même, ses sandwichs étaient pas ben bonnes, mais a'l' a faite ce qu'a' pouvait, le party se faisait chez eux, dans leur cour en arrière de la maison… Y ont faite c'qu'y ont pu pour que ça coûte le moins cher possible, pis y ont réussi parce que c'était quand même un beau mariage… au commencement, en tout cas.

— Mais y avait quand même ben d'la boisson…

— Oui, y avait quand même ben d'la boisson…

— Ça coûte pas cher, la boisson ?

— Oui, ça coûte cher.

— Ça veut dire qu'y ont dépensé ben de l'argent pour la boisson même si y en ont pas… Pis y ont commencé à boire ben de bonne heure le matin…

— Écoute… Le monde ont pas toutes les mêmes façons d'avoir du fun. Eux autres… T'es ben petit pour comprendre ça, j'sais pas trop quoi te dire…

— Y aiment mieux boire que manger ?

— Dis pas ça, c'est pas fin de dire ça.

— Mais c'est ça qu'y ont faite…

— C'est de leurs affaires si y ont faite ça comme ça… D'ailleurs on aurait dû partir tu-suite après le lunch pour éviter tout ça. Je savais que ça virerait de même, je l'ai dit à ton père…

— Les batailles…

— Oui. Les batailles. Quand y a trop de boisson trop de bonne heure le matin, ça finit la plupart du temps comme ça… Le monde commencent à boire avant de manger, pis c'est pas bon, la boisson, sur un estomac vide. Ça fait effet trop vite. Ça monte directement au cerveau.

— Pourquoi papa s'est battu lui aussi ?

— Y s'est pas battu, Michel, y a essayé de séparer deux de ses cousins qui se battaient, c'est pas la même chose…

— Sa chemise était pleine de sang…

— C'est pour ça que je dis qu'on aurait dû s'en aller plus de bonne heure.

— Y buvait, lui aussi.

— Ben oui.

— Même quand tu y as demandé d'arrêter.

— Y devait penser qu'y aurait l'air fou devant les autres hommes si y buvait juste du Coke, y s'est senti obligé, je suppose, je sais pas…

— Toi, t'en as pas pris, de boisson.

— J'bois jamais, moi, tu le sais, j'aime pas ça…

— Les autres femmes…

— Michel, faudrait que t'arrêtes de penser à c'te mariage-là. J'sais que c'tait à matin, pis que c'est dur à oublier à cause de la bataille, pis tout ça, mais… T'sais, tout le monde a des défauts, hein, on est jamais tout le temps parfaits, pis quand c'te genre d'affaires-là arrive, faut essayer de les oublier le plus vite possible…

— Moi qui avais si hâte à ce mariage-là.

— La mariée aussi devait avoir hâte. Pense à elle, Michel, avant de penser juste à toi, à ce que ça t'a faite à toi. C'tait supposé être le plus beau jour de sa vie, pis tu vois…

— A' va essayer de l'oublier, elle aussi ?

— J'pense qu'a' y arrivera pas… Ça se pourrait qu'a' leur pardonne pas non plus.

— À qui ? À ceux qui ont préparé le mariage ?

— Plus aux hommes. À son mari. Pense pus à ça, là, va jouer, mon chien, va lire, oublie ça… »

Pie XII

« Le pape, à Rome, là…

— Mon beau Pie XII que j'aime tant ! Un vrai saint ! Juste à le voir en portrait on sait que c'est un saint. Pis toujours sérieux. J'pense que l'expression "sérieux comme un pape" vient de lui…

— Le frère Robert, à l'école, y nous a dit que le pape est in-fail-lible. Faut que je le dise lentement, c'est un nouveau mot pis j'ai encore de la misère à le prononcer… In-fail-li-ble. Ça veut dire qu'y peut pas se tromper.

— Oui, y paraîtrait qu'un pape c'est infaillible.

— Voyons donc, maman, ça se peut pas !

— Comment ça, ça se peut pas !

— Tout le monde se trompe ! Tout le monde fait des erreurs !

— Ça veut pas dire qu'y peut pas faire d'erreurs dans la vie de tous les jours, comme quand j'nomme tes deux frères avant de te nommer quand je t'appelle pour venir souper… Non, c'est pas ça que ça veut dire. Sinon, y serait pas humain. Y a beau être un vrai saint, y est pas parfait ! C'est dans les sujets de religion qu'y peut pas se tromper. Y paraît qu'à partir du moment où quelqu'un est nommé pape, y peut pus se tromper quand y parle de religion.

— Encore par l'intervention du Saint-Esprit, je suppose.

— Michel ! On t'a dit que les questions sur le Saint-Esprit, ça va faire, là. Ça fait un an ! On sait pus quoi te répondre.

— C'tait jute un exemple que je donnais : si y déclare quequ'chose au sujet du Saint-Esprit, par exemple, ça va être vrai.

— Oui. Y paraît…

— Tu y crois pas ?

— Faut ben que j'y croie, c'est ça qu'y nous disent. Y connaissent plus la religion que nous autres.

— Qui ça, y ?

— Ben, la religion catholique ! Ceux qui mènent la religion catholique en savent plus sur la religion catholique que nous autres… Quand ton père parle d'imprimerie y sait de quoi y parle, c'est pareil pour eux autres. Mais Pie XII doit pas dire des affaires sur la religion juste pour dire des affaires sur la religion, y doit y penser avant ! C'est toute une responsabilité qu'y a là, là, lui. Y doit réfléchir ben longtemps avant de parler. Pas comme quelqu'un que je connais…

— T'es donc drôle.

— Pis quand y a quequ'chose d'important à dire, y paraît qu'y écrit comme une sorte de lettre toute en latin qui s'appelle une bulle.

— Comme une bulle de savon ?

— Oui, j'pense que ça s'écrit pareil. Mais tu m'as pas laissé finir. Au complet, ça s'appelle une bulle pontificale. J'pense que ça arrive pas souvent qu'un pape écrive une bulle pontificale, mais quand y le fait c'est ben sérieux.

— En as-tu déjà lu ?

— Ben non. C'est pas faite pour du monde comme nous autres. C'est toute écrit en latin, y paraît. Coco pourrait les lire, pas moi. Les prêtres, ici, les plus importants, les plus savants, comme le cardinal Léger, pis l'autre, à Québec, là, j'oublie toujours son nom, eux autres y la lisent, la bulle pontificale, pis y nous l'expliquent après.

— Même quand le pape parle des mystères ?

— Pourquoi y parlerait des mystères ? Des mystères, c'est des mystères, le mot le dit, ça s'explique pas.

— Y devrait en parler, ça nous aiderait à comprendre.

— Des mystères, c'est pas fait pour être compris, Michel, c'est fait pour… pour être mystérieux ! Le pape a pas de temps à perdre à essayer de nous expliquer des affaires qui sont pas explicables.

— Mais si y peut pas se tromper…

— Ça veut pas dire qu'y peut expliquer les mystères parce qu'y peut pas se tromper ! Y a d'autres choses à faire dans la vie ! Pis y peut peut-être pas les comprendre plus que nous autres.

— Mais c'est le pape !

— Aïe ! Si je l'étais pas déjà, je dirais que tu vas finir par me rendre folle !

— T'es pas folle, maman…

— Ben oui, chus folle. Chus folle d'essayer de répondre à tes questions qui finissent pus, qui traînent en longueur, qui durent des années, une attend pas l'autre, le pourquoi du pourquoi du pourquoi… Écris au pape directement, demandes-y qu'y t'explique les mystères, moi j'abandonne.

— Mais l'autre fois, quand on parlait du troisième secret de Fatima, tu le croyais pas, pourquoi tu croirais qu'y faut croire aux mystères sans se poser de questions ?

— Parce que l'histoire du troisième secret de Fatima avait pas d'allure ! Ça avait l'air d'avoir été inventé pour nous faire peur ! Les mystères de la religion, c'est pas pareil, y faut qu'on y croie ! C'est… je sais pas… C'est la base de la religion ! On est obligés d'y croire !

— Mais pourquoi ?

— Si tu prononces encore une fois ce mot-là, Michel, j'te l'enfonce dans la gorge assez loin que tu pourras pus jamais le retrouver ! »

Laurel and Hardy

« Maman, c'tait assez drôle la nouvelle vue de Aurèle N. Hardy !

— Y s'appellent Laurel and Hardy, Michel ! Sont deux !

— J'trouvais ça drôle, aussi, qu'y en annoncent rien qu'un pis qu'y soient deux !

— Leurs noms sont écrits, là, au commencement. Tu les as pas vus ?

— Non, je regarde jamais ça. »

Abbott and Costello

« J'ai vu la nouvelle vue de Botte à Botte et Castello, maman, à la salle paroissiale. C'tait tellement drôle !

— Y s'appellent Abbott and Costello, Michel. Bud Abbott et Lou Costello.

— Ah, c'est plate… J'pensais que le petit gros s'appelait Botte à Botte. J'trouvais ça drôle… »

Marcelle Barthe

« Maman, c'est quoi des létrahines ?

— Des quoi ?

— T'sais, la femme au radio, le matin, a' dit au commencement d'un programme : "Létrahines canadiennes". J'comprends pas ce qu'a' veut dire. Pourquoi tu ris ?

— C'est pas ça qu'a' dit, Michel. C'est une madame d'Ottawa qui a un programme, le matin, au radio. A' s'appelle Marcelle Barthe. Pis ce qu'a' dit, avec son accent français – est peut-être française, je sais pas –, c'est : "Lettre à une Canadienne".

— J'suppose que tu vas aller répéter ça partout, là…

— Ça se peut. »

Le garage

«T'es pas content?

— Ben…

— Ben quoi? Un beau garage comme ça! Pis des belles autos en plastique avec des vraies roues qui tournent, pis toute. Un élévateur pour les faire monter. Une glissade pour les faire descendre. C'est quand même mieux que les vieux jeux de blocs de tes frères pour construire des maisons. Tu m'as dit que t'étais tanné de jouer avec ça, que la peinture était toute partie, qu'on voyait juste le bois, j'ai voulu… j'ai voulu te donner quequ'chose de nouveau, de flambant neuf! Tu le trouves pas beau, le garage?

— Ben… oui.

— T'as pas l'air sûr…

— J'trouve ça ben beau… mais je saurai pas quoi faire avec.

— Michel! C't'un garage! Les autos arrivent, y se font réparer par les petits bonhommes qui venaient avec, pis y repartent! Tu les montes à l'étage avec l'élévateur pour se faire réparer, les petits bonhommes les réparent, tu les mets sur la glissade quand c'est fini…

— Pis je recommence…

— Tu recommences, tu recommences… Tu passes des heures avec tes poupées à découper, à les habiller pis à les déshabiller, c'est la même chose, non ? Quand c'est fini, tu recommences pis tu te plains pas !

— Non, c'est pas la même chose ! J'les ai découpées moi-même, mes poupées à découper ! Je choisis comment je les habille ! C'est jamais pareil pareil ! Pis j'ai du fun à faire ça, maman !

— Viens pas me dire que t'aurais aimé mieux avoir un cahier de poupées à découper à vingt-cinq cennes plutôt que c'te beau garage en tôle là qui nous a coûté une fortune !

— J'en ai vu qui coûtaient plus cher, chez Guimond. C'était assez beau, maman... Y en avait un, là, c'était six danseurs de ballet avec dix ballets différents ! Y a même un danseur qui s'appelle Michel. Celui du milieu, là, le grand double, c'est un ballet qui s'appelle *Les sylphides*. Les filles ont des tutus blancs tout raides pis les gars sont habillés en princes... Pis *Les sylphides* vient avec un beau décor de forêt, la nuit, qu'on peut monter après l'avoir découpé. J'me voyais en train de découper tout ça en faisant ben attention de rien déchirer... Pis peut-être demander à Coco de m'acheter la musique des *Sylphides* si y connaît ça... J'les ferais danser, j'leur inventerais des histoires... J'pourrais même essayer avec *La danse des heures*, pour commencer...

— T'as déjà oublié la conversation qu'on a eue avant les Fêtes...

— Ben non, j'ai pas oublié. Mais j'comprends toujours pas pourquoi y a des jeux pour les petits gars pis des jeux pour les petites filles, c'est toute.

— J'te l'ai dit, parce que les petits gars pis les petites filles s'intéressent pas aux mêmes affaires. En tout cas, d'habitude.

— Pis c'est grave si de faire monter pis descendre des chars en plastique dans un garage en tôle peinturée m'intéresse pas ?

— C'est pas que c'est grave…

— Oui, j'sais, tu m'as dit que c'était pas naturel.

— Que c'est que tu veux que je te dise ? C't'un jeu de p'tit gars, y a pas d'autres explications… Les petits gars, d'habitude, c'est les garages pis les autos en plastique qui les intéressent…

— Mais c'est Noël, maman, chus supposé avoir des cadeaux à mon goût à moi, pas nécessairement des cadeaux de petits gars parce qu'y faut donner aux petits gars des jouets de petits gars !

— T'as quand même pas envie de me demander d'aller échanger ton garage pour des cahiers de poupées à découper ! Me vois-tu, chez Dupuis Frères, en train de demander qu'on change un garage en tôle pour des poupées en papier ? Qu'est-ce que la vendeuse dirait ? A' me demanderait-tu quelle sorte d'enfant que j'ai ? Michel ! Pis ton père me tuerait !

— Ben non, y te tuerait pas.

— C'est une façon de parler. Ben sûr qu'y me tuerait pas. C'est pas ça que je voulais dire.

— Mais y serait désappointé.

— Par nous deux. Y serait désappointé par nous deux. Pas juste par toi. Y me reprocherait encore de te laisser faire ce que tu veux…

— En avez-vous déjà parlé, des poupées à découper ?

— Tu vois comme que t'es ? Tu t'arranges toujours pour que ton père soit pas là quand tu joues avec tes poupées à découper, parce qu'au fond tu le sais qu'y aimerait pas ça, pis tu me demandes si on en a déjà parlé. Ben non, on en a jamais parlé, parce qu'y le sait pas ! Mais si j'échange le garage pour quequ'chose d'autre, y va se demander pourquoi pis y va demander à voir pour quoi je l'ai échangé. Déjà que tu t'es endormi au beau milieu de la partie, la fois qu'y t'a emmené à une partie de hockey…

— Bon, c'est correct, j'vas le garder, le garage…

— Promène tes poupées à découper dans les autos après les avoir habillées, fais-les monter au deuxième par l'élévateur pour surveiller les mécaniciens, je sais pas, moi…

— Maman, tu me montreras pas comment jouer avec mes jouets !

— Mais je sais pus quoi te dire.

— Dis-moi rien, j'ai compris. J'ai compris, maman. J'vas remercier papa pour le beau garage, pis quand y va être là j'vas jouer avec. Pis j'vas avoir l'air d'avoir ben du fun. J'vas ramasser mon argent, pis j'irai m'acheter les poupées à découper quand j'en aurai assez, c'est toute.

— Tu vois, j'sais même pas si je devrais te le permettre.

— Si j'ai du fun avec mes poupées à découper, maman, y me semble qu'y a rien de mal…

— Tant qu'à ça. Mais arrange-toi pas pour que ton père te pogne. »

Berthe Bernage *vs* Jules Verne

« Ça m'a même pas pris deux heures pour lire ton maudit livre plate !

— Ben moi, ça fait trois jours que chus dans le tien, ton maudit livre plate, pis chus loin d'avoir fini !

— Ça se peut que t'aimes pas ça, Ginette, mais tu peux certainement pas dire que Jules Verne est plate !

— Berthe Bernage non plus est pas plate !

— Ah, non ? Brigitte vient au monde, Brigitte apprend à faire ses premiers areuh areuh, Brigitte apprend à faire ses premiers pas, ses premiers bo-byes… Pis combien tu m'as dit qu'y en avait, dans la série ? Vingt ? On la suit de même pendant vingt livres ! On la voit-tu manger ses premières crottes de nez, coudonc ?

— C'est pas parce que t'aimes pas ça que t'es t'obligé de t'en moquer pis d'inventer des bouts du livre qui existent pas ! J'pourrais faire la même chose avec Jules Verne…

— On peut pas se moquer de Jules Verne.

— Tu penses ça, toi ? Rien que des affaires qui ont pas d'allure ! Des scaphandriers avant que les scaphandriers soient inventés, un sous-marin dans le temps que ça existait pas encore…

— Jules Verne a prédit l'invention des scaphandriers pis des sous-marins avant tout le monde, tu sauras !

— C'est pas une raison pour nous les décrire sur des pages pis des pages... De toute façon, mon père dit que si on avait suivi sa recette, ses scaphandriers pis son sous-marin auraient été aplatis comme des galettes à même pas dix pieds de creux...

— Sa recette ! C'est ben une fille qui parle !

— Ben oui, chus une fille, j'parle comme une fille, pis j'aime les livres de filles ! Écoute, franchement, là, le méchant capitaine Nemo...

— Y est pas méchant !

— En tout cas, le capitaine Nemo qui se bat contre une pieuvre géante... Ça se peut-tu des pieuvres grosses de même ou ben si Jules Verne a prédit leur invention avant tout le monde !

— T'es donc drôle !

— Pis l'autre là, le marin... C'est un Canadien français pis y s'appelle Ted Land ! Y aurait pas pu s'appeler Tremblay, ou Simard, comme tout le monde !

— T'es quand même rendue loin si t'as lu le chapitre où le capitaine Nemo se bat contre la pieuvre !

— J'ai pas dit que j'étais pas rendue loin, j'ai dit que j'avais pas fini.

— Oui, t'as dit que t'étais loin d'avoir fini !

— Mettons. Mettons que j'achève. Mais c'est juste parce qu'on s'était promis de finir le livre de l'autre.

— Avoue donc que tu trouves pas ça si plate.

— Pis toi, Berthe Bernage, trouves-tu ça si plate que tu le dis ?

— Ben certain !

— Ben moi aussi.

— Ben, coudonc, ça a ben l'air que ma mère avait raison !

— Comment ça ?

— Quand a' me disait qu'y avait des jouets pour les gars, pis des jouets pour les filles. Ça a l'air que c'est la même chose pour les livres… Peut-être que les filles sont pas capables de s'intéresser aux livres de Jules Verne…

— Y en a peut-être…

— Ouan. Pis y a peut-être des gars qui lisent les Brigitte, tant qu'à ça…

— Ça me surprend que t'aimes pas ça, d'ailleurs…

— Pourquoi ?

— Tu jouais encore aux poupées à découper avec ma sœur pis moi, y a pas longtemps…

— Ça a rien à voir…

— Pourquoi pas ?

— Ben… Je sais pas…

— Tu sais pas quoi répondre, hein ?

— Que c'est que tu veux que je te dise ! Avec les poupées à découper, c'est le fun, tu les habilles, tu les déshabilles, t'essayes de trouver des nouvelles combinaisons pour leur linge, tu fais quequ'chose… Mais un livre plate… Y a rien à faire avec un livre plate, tu peux juste t'ennuyer en le lisant…

— Pis tu t'ennuies pas en lisant les descriptions sans fin de machines, de bateaux, pis de bibittes marines !

— Ben non.

— Ben coudonc, tu dois être un vrai gars, après toute…

— J'y tiens pas, hein…

— Oui, j'sais, on en a déjà parlé…

— J'peux même t'avouer quequ'chose…

— Quoi, donc ?

— Des fois, je m'ennuie des poupées à découper…

— T'es trop vieux, Michel. Même nous autres, Louise pis moi, on commence à être tannées…

— J'sais ben qu'y faut passer à autre chose…

— C'est vrai que c'est tout un saut que t'as faite là ! Passer des poupées à découper à Jules Verne.

— Une chance que j'aime ça.

— Aimes-tu *vraiment* ça ou ben si tu te sens obligé ?

— Ça va peut-être te surprendre, mais oui, j'aime *vraiment* ça… J'viens d'en commencer un autre, *Les enfants du capitaine Grant*, pis c'est tellement bon ! Ça se passe en Patagonie.

— Où ?

— En Patagonie. C'est quequ' part en Amérique du Sud.

— Pis c'est plein de descriptions d'affaires qui ont pas d'allure, je suppose ?

— Oui…

— Ben demande-moi jamais de le lire.

— J'te le promets si tu me promets de jamais pus me demander de lire un livre de Berthe Bernage.

— OK.

— OK. »

La voix intérieure

« Grand-maman, quand vous lisez, là, vous, entendez-vous votre voix dans votre tête ?

— Hein ? Quoi ? Je sais pas. J'me sus jamais posé la question…

— Moi, oui. C'est comme si je me lisais le livre à haute voix… Comme si je me contais une histoire… Mais y paraît que c'est pas ça qu'y faut faire…

— Ah, non ?

— Non. Le frère Ferdinand, à l'école, y nous a dit que si on entend notre voix dans notre tête, quand on lit, ça veut dire qu'on lit pas assez vite.

— Pourquoi on lirait vite ?

— C'est ben ça que je me dis. Quand j'aime un livre, j'veux pas voir la fin, j'vois pas pourquoi j'me dépêcherais pour le finir.

— T'as ben raison. Des fois on a hâte de voir comment ça va finir, comme les Agatha Christie, mais de là à se dépêcher pour le lire… Tu vois comment c'que t'es ? À c't'heure que tu m'as dit ça, là, j'vas me demander si j'entends ma voix quand j'vas continuer mon Delly… D'un coup que chus pus capable de me concentrer parce que tu m'as mis ça dans la tête !

— Excusez-moi, grand-maman, c'est pas ça que je voulais faire… J'voulais justement poser la même question à maman pis à Coco, mais je pense que j'vas laisser faire...

— Certain! Arrange-toi pas pour les mélanger eux autres aussi! On sera peut-être pus jamais capables de lire après ça! Si j'me demande trop si j'entends ma voix pendant que je lis, j'suivrai pus ce que je lis! Ben tu diras à ton insignifiant de frère Ferdinand de ma part qu'y a pas ben des façons de lire! On lit comme on veut, comme on le sent! C'est ben une idée de frère, ça! Pis c'est-tu effrayant de mettre des idées de même dans la tête d'un enfant!

— En plus, y nous a dit de faire des exercices...

— Faire des exercices pour lire plus vite?

— Oui. Dans notre tête.

— Y est ben fou, c't'homme-là!

— Y nous a dit de lire vite vite vite jusqu'à ce qu'on entende pus pantoute notre voix...

— Mais si tu lis trop vite, tu comprendras pus rien!

— Y paraît que non. Y paraît qu'on comprend pareil.

— Mais on a pus de fun... Si on est occupé à lire trop vite, on peut pus avoir de fun à lire!

— Y paraîtrait qu'y a une façon, là, une méthode qu'y a dit... Ça a l'air que tu lis juste en diagonale...

— Comment ça, en diagonale?

— Oui. C'est comme si tu cherchais juste les mots importants dans la page, ça a l'air...

— Comment tu veux trouver les mots importants si t'as pas lu la page! Je comprends pas.

— C'est ce que j'ai dit, mais...

— Y t'a chicané?

— Non. Y m'a juste dit la même chose que vous me dites toujours, vous autres... Que je pose trop de questions...

— On te dit souvent ça parce qu'on sait pas quoi te répondre. C'tait peut-être son cas à lui aussi, y savait pus quoi te dire… Comme ça, à l'entendre parler, lui, tu prends *Notre-Dame de Paris*, là, disons, tu lis juste deux-trois mots par page pendant mille pages, pis tu comprends ce que tu lis ? Y est fou !

— Vous avez lu *Notre-Dame de Paris* ?

— Ben oui. Comme tout le monde dans' maison. Pis tu vas le lire un jour toi aussi, j'espère.

— Mais c'est un livre à l'Index !

— Bon, v'là autre chose ! Les livres à l'Index, là, c'est juste faite pour faire peur au monde, pour les empêcher de lire des affaires intéressantes. À les entendre parler, on lirait juste des vies de saints ! C'est plate pour mourir, les vies de saints ! C'est toujours pareil ! Y refusent de cracher sur la croix, y se font martyriser pis y meurent dans des souffrances épouvantables ! Tiens, ça c'est un genre de livre que je lirais vite, par exemple ! Je l'ai lu au grand complet, *Notre-Dame de Paris*, mille pages en petites lettres ben ben serrées, pis je vois pas ce qui peut y avoir à l'Index là-dedans ! C'est assez beau ! Esméralda avec sa chèvre, Quasimodo avec sa bosse, le méchant Frollo qui est en amour avec Esméralda même si c'est un prêtre. Tiens, ça doit être pour ça que c'est un livre à l'Index, j'y avais jamais pensé… Y se scandalisent de toute, ces fous-là… J'aurais même jamais voulu le finir si ça avait été possible tellement c'était beau ! Tu vois, ça c'est un livre que j'aurais pas voulu lire vite avec la méthode de ton fou furieux… En diagonale, là, en pigeant un mot par-ci par-là. Pis Index, ça veut-tu dire défendu en latin ?

— Mais vous avez commis un péché grave en lisant ça grand-maman, j'espère que vous le savez…

— Pour moi, y a juste une sorte de péché grave, Michel, pis ça fait longtemps en titi que j'en ai pas commis.

— Si le frère Ferdinand vous entendait…

— Si y m'entendait, cher ti-gars, j's'rais après y crier par la tête ! Ça serait peut-être un péché, mais véniel !

— Comme ça vous pensez que c'est correct si je continue à lire en entendant ma voix dans ma tête ?

— Lis donc comme tu veux, pauvre t'enfant, d'abord que tu lis. Laisse faire le reste. Pis j'te donne la permission de faire accroire à ton frère Ferdinand que t'as suivi son conseil pis que t'entends pus pantoute ta voix quand tu lis. Un autre péché véniel. Pis quand tu seras assez vieux, tu viendras me voir. J'ai jamais remis ma copie de *Notre-Dame de Paris* à la bibliothèque municipale, c'tait trop beau. J'dois leur devoir une fortune, à l'heure qu'il est ! Tu vois, une voleuse, en plus ! »

Jésus (encore!)

« Notre Seigneur Jésus-Christ, là…

— Non. Michel, non. Notre Seigneur Jésus-Christ, on en a fait le tour. Plusieurs fois. C'est un mystère, c'est un dogme, on peut pas comprendre, mais y faut croire parce que c'est ça que la religion catholique veut.

— Mais c'était pas une question de religion que je voulais poser, maman…

— C'était quoi, d'abord? Notre Seigneur Jésus-Christ, c'est toujours de la religion…

— Écoute. Jésus, y est venu au monde ben ben loin d'ici, plus loin que l'Afrique du Nord…

— Oui, en Israël…

— En Palestine. En tout cas… Le frère Robert nous a montré des photos, aujourd'hui, qui montraient des prêtres qui vivent dans ce bout du monde là pour évangéliser ceux qui sont pas catholiques…

— Ouan, sont partout, pis?

— Ben le monde, dans ce bout-là, sont plutôt petits, avec des cheveux frisés pis des yeux foncés.

— J'comprends pas ce que tu veux dire…

— Ben, Notre Seigneur Jésus-Christ, sur les images, y est grand, avec des grands cheveux blonds qui y tombent jusque sur les épaules, pis des yeux bleus! Comment ça se fait, ça?

— Ben… Je sais pas, moi… Y paraîtrait que c'était le plus bel homme que la terre a jamais connu… Que le monde avaient de la misère à le regarder tellement y était beau. C'est la maîtresse d'école, quand j'étais petite, qui nous avait dit ça… Y faut pas oublier que Dieu l'a fait à son image et à sa ressemblance… Pis Dieu, y doit être beau rare !

— Dieu c't'un grand blond aux yeux bleus ?

— Dieu est un pur esprit, Michel.

— Si c'est un pur esprit, y peut pas être blond pis avoir des yeux bleus, ça marche pas ! Si y avait fait Jésus à son image pis à sa ressemblance, Jésus, je sais pas, moi, y serait transparent comme un pur esprit ! Un pur esprit, ça se voit pas, ça peut pas avoir des cheveux longs pis des yeux bleus !

— Pourquoi tu compliques toujours les affaires, comme ça ? Peut-être que le bon Dieu a essayé *d'imaginer* de quoi aurait l'air le plus bel homme du monde… Pis ça a donné Jésus. Un grand blond avec des yeux bleus.

— Donc, si y l'a imaginé, y l'a pas fait à son image et à sa ressemblance… Pis si Dieu est un pur esprit, y en a pas d'image pis de ressemblance !

— Michel, tu tombes dans la religion, là, dans les affaires qu'on comprend pas pis qu'on devrait pas comprendre…

— C'est pas que je veux *comprendre*, c'est que ça a pas de bon sens… Y me semble qu'y avait plus de chances de ressembler à sa mère qu'à un pur esprit…

— J'ai pas dit qu'y ressemblait à un pur esprit…

— Non, c'est vrai. Mais tu m'as pas dit non plus pourquoi y ressemblait pas aux autres habitants de son pays…

— C'est pas à moi à t'expliquer ces affaires-là, Michel…

— J'sais ben. Mais ceux qui pourraient le faire, y veulent pas.

— C'est pas qu'y veulent pas. Y ont peut-être pas plus d'explications que moi, c'est toute…

— J'ai juste dit une affaire, pendant le cours de religion, pis j'ai eu une retenue…

— Y me semblait, aussi. Que c'est que t'as été leur dire, encore…

— Ben j'ai dit au frère Robert qu'en fin de compte, Notre Seigneur Jésus-Christ nous ressemblait plus à nous autres…

— Comment ça, à nous autres ?

— Ben, y a plus de grands blonds avec les yeux bleus ici pis en Europe qu'en Palestine, non ?

— Dans quoi tu t'embarques, là ? Y est pas venu au monde en Europe ou ben ici, au Canada, y est venu au monde à l'autre bout du monde, en Palestine, c'est toi-même qui viens de le dire !

— C'est juste que… J'aimerais ça voir comment y le voient, Notre Seigneur Jésus-Christ, en Palestine…

— Tu viens de dire toi-même qu'y sont pas croyants. Les prêtres vont leur dire de quoi y avait l'air, pis y vont les croire…

— Ben oui, mais si y vient de chez eux ! Les prêtres peuvent quand même pas leur dire de quoi avait l'air quelqu'un qui vient de chez eux !

— Ben oui, mais y a pas juste des grands blonds aux yeux bleus, ici, pis en Europe ! On a des petits noirauds, nous autres aussi ! Toi-même, t'en es un ! Peut-être que de temps en temps, en Palestine, comme partout ailleurs, y a un grand blond qui apparaît pis on sait pas trop pourquoi…

— Ah ben là, tu vois, tu viens peut-être de trouver un commencement de réponse… Merci, maman, ça a ben du bon sens, j'vas y penser…

— Juste un commencement ? J'ai juste trouvé un commencement de réponse ? J'ai chaud, chus épuisée, pis j'ai trouvé juste un commencement de réponse ! Qu'est-ce que ça serait si j'en avais trouvé *toute* une ! »

Saint Joseph

« Saint Joseph, là, y le savait-tu que sa femme le trompait avec le Saint-Esprit ?

— Au lieu de faire des farces plates, là, va donc me chercher un club sandwich au Three Minute Lunch ! Enfant insignifiant ! »

Le chapelet en famille

« Ma tante Bartine, pourquoi on dit pas le chapelet en famille, le soir, à sept heures, avec le cardinal Léger, nous autres ?

— Va demander à ta mère.

— Est en train de préparer sa sauce à spaghetti, pis tu sais qu'y faut pas la déranger dans ce temps-là.

— Pis ça peut pas attendre ?

— Ça pourrait attendre, mais j'me sus dit que tu le saurais, toi aussi.

— Le soir à sept heures, mon p'tit gars, ta mère pis moi on est en train de faire la vaisselle, tes frères pis ta cousine ont disparu on sait pas où au lieu de faire leurs devoirs, ton père travaille, tes oncles, on sait à peu près jamais où y sont, pis ta grand-mère écoute *Un homme et son péché* à CBF, au radio. On est trois familles, dans' maison, Michel, on est douze, c'est difficile de ramasser tout ce monde-là en même temps quand c'est pas pour un repas…

— Le frère, à l'école, y dit qu'une famille qui prie est une famille unie.

— Ouan, mais y dit pas si y faut absolument que la famille prie ensemble pis en même temps.

— Oui, oui, y parlait du chapelet en famille au radio… Y dit que toutes les familles de la province de Québec devraient être à genoux devant le radio, à sept heures tous les soirs.

— Ben tu diras à ton frère que j'ai pas envie de me sacrer à genoux devant le radio à sept heures du soir, j'ai d'autres choses à faire…

— J'peux pas y dire ça…

— Je le sais ben que tu peux pas y dire ça. Si t'avais demandé à ta mère, a'l' aurait trouvé une façon plus… diplomatique de dire ça, mais moi je le dis comme je le pense. De toute façon, jamais ta grand-mère accepterait de sacrifier *Un homme et son péché* pour écouter le cardinal Léger réciter le chapelet en famille… Les familles qui disent le chapelet en famille, là, sais-tu comment y font pour savoir ce qui arrive à Séraphin pis à Donalda à l'autre poste ? Ben y nous le demandent à nous autres, à ceux qui écoutent pas le chapelet en famille… Ça fait qu'y faut des familles qui disent pas le chapelet en famille avec le cardinal Léger pour informer les autres de ce qui se passe dans *Un homme et son péché*…

— Le frère Robert dit que l'archevêché va demander à CBF de changer l'heure de *Un homme et son péché* pour que tout le monde écoute le chapelet en famille. Le monde écouterait le chapelet à sept heures à CKAC, pis *Un homme et son péché* à sept heures et quart à CBF.

— Sont ben capables. Mais y nous connaissent ben mal…

— On l'écouterait pas pareil, nous autres ?

— Permets-moi d'en douter. On serait pas plus capables de rapailler toute la famille. Ça paraît qu'y ont rien que ça à faire, eux autres, le soir à sept heures… As-tu le goût, toi, de te sacrer à genoux à sept heures, tous les soirs, pour dire le chapelet avec le cardinal Léger ?

— Ben… non.
— Moi non plus.
— Mais si y *faut* le faire…
— Tant qu'à ça, sont ben capables de nous obliger… Ben coudonc, si y nous obligent, on se confessera de pas l'avoir faite ! En attendant, chus ben contente que les deux programmes soient diffusés en même temps… Un péché de moins sur la conscience…
— Y a dit une autre chose, aussi…
— Michel… Fais-moi pas pomper…
— Savais-tu ça, toi, que le mot radio c'était féminin ? Ça a l'air qu'y faut dire *une* radio…
— C't'un appareil, le radio ! Appareil, c'est masculin ! Pis j'ai dit *le* radio depuis que *l'appareil* de radio est entré dans' maison, j'vois pas pourquoi je changerais… »

La télévision

« Oui, j'ai vu la grosse annonce dans *La Presse*, après-midi…

— Aïe, ça serait comme avoir un théâtre dans' maison !

— Ouan, mais as-tu vu le prix que ça va coûter ? C't'une invention pour le monde riche, c'te télévision-là…

— Pis on aura pas les moyens, nous autres ?

— Va falloir qu'on ramasse notre argent, ou ben donc qu'on paye pendant des années si on l'achète à crédit…

— Chus sûr que ça va valoir la peine, maman.

— J'dis pas que ça vaudrait pas la peine, j'dis que va falloir y penser sérieusement…

— Aïe, nous vois-tu installés devant ça pendant toute la soirée…

— Faudrait quand même pas que tu négliges ta lecture… Pis moi non plus.

— Fais-toi-z'en pas, maman, ma lecture, je la négligerai jamais…

— On dit ça, on dit ça…

— J'te le jure !

— J't'ai déjà dit de pas jurer ! Tu promets, mais tu jures pas. Jurer, c'est juste pour les choses sérieuses…

— Ben, la lecture c'est sérieux, pis j'te *jure* que j'la négligerai jamais, même si on achète une télévision ! »

Lucy *vs* Donalda

« Pourquoi t'aimes mieux la télévision anglaise ?

— C'est pas que j'aime mieux la télévision anglaise, c'est juste que le lundi soir à huit heures, quand ton père travaille la nuit pis qu'y est pas là pour insister pour qu'on regarde *Les belles histoires des pays d'en haut*, j'aime mieux regarder Lucille Ball faire ses grimaces que Donalda laver son plancher en prenant des airs de martyre. Lucy, a' me fait rire. Donalda, a' m'énarve ! Entre les deux, à huit heures du soir le lundi, j'aime mieux la comique !

— T'aimes ça les affaires tristes, pourtant, quand t'écoutes le radio.

— Le radio, c'est pas pareil. J'me ferme les yeux, j'écoute les voix pis j'imagine ce qui se passe dans le radioroman. À la télévision… à la télévision les personnages des *Belles histoires des pays d'en haut* sont jamais comme je les avais imaginés quand y étaient juste au radio… C'est pas les mêmes acteurs, y sonnent pas pareil, ni rien… C'est pas comme ça que je voyais Séraphin, c'est pas comme ça que je voyais Alexis Labranche non plus, même si celui de la télévision est ben beau… Pis les décors… Quand y ouvrent une porte on voit tu-suite que le paysage est dessiné sur un rideau ! Pis on voit le soleil à travers les joints de la maison. Y doivent geler sur un temps rare en hiver ! Pis y a rien dans les armoires pis dans les tiroirs de la maison de Séraphin. J'veux ben croire qu'y sont pauvres, mais y doivent ben avoir une assiette ou deux à mettre dans leurs armoires, jamais je croirai !

— Tu vas t'habituer. La télévision, c'est nouveau pour nous autres… On l'a eue après tout le monde…

— En plus, sont en noir et blanc ! Quand j'les écoutais au radio, j'les voyais en couleur dans ma tête ! Pis quand Donalda lave son plancher, à la télévision, ça paraît que c'est pas un plancher de bois ! C'est toute faite en studio, c't'affaire-là, pis ça paraît que Donalda lave un plancher de studio de télévision ! De toute façon, même au radio a' m'énervait. J'te dis que si ton père avait essayé de me nourrir à la galette de sarrasin pis à la mélasse, au début de notre mariage, y aurait passé par là ! Voyons donc ! Comme si ça avait de l'allure ! A' travaille comme douze, a'l' a toujours le toupet mouillé dans le front tellement a' se démène, pis est nourrie juste à la galette de sarrasin pis à la mélasse ? Dans la vraie vie a' survivrait pas deux mois ! Surtout dans les Laurentides oùsque la vie est ben plus difficile qu'ici, à Montréal… Non, non, non, j'te le dis, j'aime mieux regarder Lucille Ball faire ses folies déguisée en toutes sortes d'affaires. Ça a pas plus d'allure, mais au moins c'est drôle pis ça se prend pas au sérieux. Pis ça me fait rire aux larmes. J'aime pas juste brailler, tu sais !

— Faudrait pas que tu dises ça à papa. Y a tellement hésité avant d'acheter une télévision parce que ça coûtait cher…

— Ben oui… On va payer ça pendant des années. J'espère que j'vas finir par aimer ça, pas juste de temps en temps comme pour *I Love Lucy* ! J'aime ben regarder les nouvelles, par exemple. C'est plus intéressant de les voir que de se les faire conter… Tant qu'à ça, t'as peut-être raison, faudrait que je sois plus patiente. J'avais tellement hâte ! J'pensais tellement que ça allait occuper toutes mes soirées ! Ah, ça, pour les occuper, ça les occupe, mais c'est plate rare par boutes !

— Pis t'es désappointée…

— Un peu.

— Toute peut pas être intéressant tout le temps…

— 'Gard' donc ça, qui c'est qui me fait la leçon, tout d'un coup ! C'est vrai que t'aimes ça toi, la télévision, hein ?

— Oui.

— T'aimes à peu près toute ?

— Oui, j'la regarderais tout le temps.

— C'est pas mal ce que tu fais déjà… Ben coudonc, y en a au moins un de content dans' maison ! »

Lotus de Yardley

« Tu diras au pharmacien que c'est pour la fête des Pères, y va peut-être te l'envelopper dans du beau papier exiprès pour les cadeaux…

— Pourquoi tu m'envoies acheter ça dans une pharmacie, maman ? T'achètes pas ton parfum dans une pharmacie, toi !

— Parce que j'ai pas le temps d'aller chez Dupuis Frères pis que c'est trop loin pour toi. Pis… dis-le pas, mais je pense que c'est moins cher à la pharmacie…

— J'peux-tu te dire une chose ?

— Ben… oui…

— J'trouve pas que ça sent ben bon, ce parfum-là…

— D'abord, c'est pas du parfum, c'est de l'eau de toilette.

— C'est quoi la différence ?

— Je le sais pas. J'pense que ça sent la même chose, mais que c'est moins concentré.

— Mon Dieu ! Qu'est-ce que ça serait si c'était encore plus concentré !

— Michel ! C'est produit par Yardley, pis toute !

— C'est pas parce que c'est produit par Yardley que ça sent bon.

— J'achète ça à ton père depuis des années. Y sent ça quasiment depuis notre mariage !

— En tout cas, si c'est ça que ça sent, le lotus… En plus, à sa fête, tu y as acheté la poudre qui va avec, ça fait que je te dis qu'on doit le sentir venir de loin!

— Ton père aime ça sentir bon, pis moi je trouve que ça y va bien, Lotus de Yardley…

— Y en met trop, y sent trop fort…

— Bon, c'est vrai que des fois y exagère, mais j'y ai dit pis y en met un peu moins depuis quequ' temps. T'sais, quand on se parfume, on sait pas si on en met trop ou non… Trouves-tu que j'en mets trop moi aussi?

— Ben non. Pis j'aime ça, Tulipe noire de Chénard. Même si je pensais que les tulipes ça sentait rien…

— C'est vrai, ça. J'me sus déjà posé la question, moi aussi. Y me semble que ça sent rien, les tulipes…

— Pis pourquoi y en met juste le dimanche pour aller à la messe pis le lundi quand y va faire son tour sur la rue Craig, du Lotus?

— Le dimanche, c'est pour avoir l'air propre. Le lundi…

— Que c'est qu'y va faire sur la rue Craig, tous les lundis, veux-tu ben me dire?

— Écoute… Toute la semaine y se démène sur sa presse, à l'imprimerie, de cinq heures du soir à une heure dans' nuit, pis le lundi matin, avant d'aller travailler, y aime ça se mettre chic comme si c'était le dimanche, mettre son beau chapeau, son beau pardessus, se parfumer, prendre ses gants de kid, pis aller se promener sur la rue Craig…

— Qu'est-ce que ça y donne?

— Je sais pas… Peut-être que pendant quequ's heures ça y donne l'impression d'être quelqu'un d'important. Y dit qu'y croise des avocats, qu'y a fini par en connaître quequ's-uns avec qui ça y arrive de jaser, qu'y rentre au palais de justice, des fois, pour assister à des procès. Y va manger dans un restaurant pas cher, y revient ici juste à temps pour se changer pour aller travailler… C'qu'y fait fait de mal à personne, pis ça le rend heureux…

— Y aurait-tu aimé ça devenir un avocat? Y aime pas ça être pressier dans une imprimerie?

— Non, enfin, je pense pas. Y me semble qu'y aime son travail… C'est juste… C't'un rêveur, ton père, Michel, pis je suppose qu'y aime ça penser de temps en temps qu'y est quelqu'un d'autre…

— En tout cas, y doivent trouver qu'y sent fort, sur la rue Craig.

— Moque-toi pas de ton père, Michel! Pis peut-être que c'te monde-là sentent toutes fort de même…

— *La rue des hommes qui sentent fort.* C't'un beau titre pour une vue épeurante, ça!

— Michel!»

Les tulipes de la honte

« Tu mériterais que je te donne une volée !

— Tu nous as jamais frappés, papa, tu commenceras pas aujourd'hui…

— Veux-tu ben me dire ce qui t'a pris ?

— C'est la fête des Mères, papa, pis je voulais faire une surprise à maman, c'est normal, non ?

— Ce qui est pas normal c'est que t'ayes volé des fleurs ! Tu pensais quand même pas que des fleurs volées ça pouvait faire un cadeau pour la femme la plus honnête que le monde a jamais connue !

— J'pensais pas que je les volais…

— Comment ça, tu pensais pas que tu les volais ! En plein parc La Fontaine, devant une statue ! Peut-être du monsieur La Fontaine en question ! Ces fleurs-là appartenaient au parc, Michel, à la ville de Montréal, au monde qui se promènent pis qui sont contents de voir des fleurs pour la première fois de l'année ! Là, tout ce qu'y vont trouver c'est des tiges cassées !

— C'est ça, y appartenaient à tout le monde !

— Justement ! À tout le monde ! Pas juste à ta mère ! J'comprends pas ! J'comprends pas qu'un gars intelligent comme toi fasse une chose pareille !

— J'tais pas tu-seul. J'étais avec Jean-Paul Jodoin pis Serge Amyot…

— C'est pas parce que vous étiez trois que ça vous donne raison ! Ça vous rend encore plus niaiseux ! À vous trois vous avez pas été capables de penser que c'était pas une bonne idée de voler des tulipes dans le parc La Fontaine pour les donner en cadeau de fête des Mères à votre mère ! ?

— On savait pas quoi faire ! On avait pas d'argent, la fête des Mères est demain, on savait pas quoi faire, papa !

— Tant qu'à être niaiseux, pourquoi vous êtes pas allés voler une banque ! Au moins, ça aurait fait de l'argent dans' maison !

— C'est samedi ! Pis on est pas des bandits ! On s'est jute débrouillés pour trouver quequ'chose ! On passait devant la statue, pis on se demandait c'était qui le gars, en haut de la colonne. On s'est approchés pour voir si y avait une plaquette qui expliquait qui c'était, on pensait comme toi que c'était le monsieur La Fontaine en question pis on voulait savoir qui c'était… C'est là qu'on a vu les tulipes… On a pensé la même chose en même temps, je pense…

— Ben oui, c'est la faute de personne pis de tout le monde en même temps… C'est commode, ça…

— Jean-Paul pis Serge ont pris les rouges, pis moi les jaunes parce que je sais que maman aime beaucoup le jaune…

— Avez-vous regardé autour de vous autres pour voir si quelqu'un vous voyait ?

— Oui.

— Ben vous saviez que vous voliez. Vous avez agi comme des voleurs, vous êtes des voleurs. Ces fleurs-là sont un cadeau de la reine Béatrice de Belgique, Michel, qui a donné en cadeau de reconnaissance des millions de bulbes de tulipes au Canada parce qu'est venue se réfugier ici pendant la guerre… Vous avez volé un cadeau de la reine de Belgique, Michel !

— Si y en a des millions…

— Essaye pas de te trouver une raison ! On vole pas un cadeau, c'est toute ! Pis même si ça avait pas été un cadeau de la reine de Belgique au Canada, on vole pas, un point c'est tout ! C'est pourtant pas comme ça qu'on t'a élevé, ta mère pis moi ! On a toujours pensé que t'étais intelligent…

— Chus intelligent, aussi !

— Ben tu l'as pas prouvé à matin !

— Ben oui, mais je peux quand même pas aller les reporter au parc La Fontaine, sont toutes cassées !

— En tout cas, une chance que ta mère est partie se faire coiffer pour la fête des Mères. Si avait fallu qu'a' te voye arriver avec ça pis qu'a' t'aye demandé d'où ça venait…

— J'm'étais préparé une réponse. J'y aurais dit que j'avais pris l'argent dans mon cochon en porcelaine…

— Menteur en plus ! Décidément ! As-tu tué quelqu'un en t'en venant, coudonc, tant qu'à y être ?

— Tu parles comme maman, là… T'exagères comme elle…

— Laisse faire comment je parle pis dis-moi au moins que tu comprends c'que chus en train de te dire.

— Ben oui, je comprends ! Vous me dites toujours d'apprendre à me débrouiller, j'me sus débrouillé…

— C'est ça, ça va être de notre faute.

— J'dis pas que c'est de votre faute.

— Ben oui, tu dis que c'est de notre faute. Si on a élevé un voleur, ça veut dire qu'on l'a mal élevé, qu'on est pas des bons parents.

— Vous êtes les meilleurs parents du monde.

— C'est pas en me faisant des compliments que tu vas t'en sortir…

— On dirait vraiment entendre maman, hein…

— Ça fait presque vingt-cinq ans qu'on est mariés, c'est normal qu'on parle un peu de la même façon!

— En attendant, qu'est-ce qu'on fait avec ces fleurs-là?

— T'as raison, on peut pas les jeter, sont trop belles. Va les porter à ta tante Bartine, pis dis-y qu'a' les mette dans un vase.

— On a ça, nous autres, un vase pour mettre les fleurs?

— Ben, a' les mettra dans une pinte de lait vide, je sais pas, moi…

— Pis on dit rien à maman?

— Ah, c'est ça! Tu me demandes d'être ton complice, comme ça je pourrai pas te vendre…

— J'te demande pas d'être mon complice, c'est toi qui as eu l'idée du vase…

— Encore! Si ça continue, c'est moi qui vas être allé *cueillir* les maudites tulipes jaunes!

— Pis ça va être quoi, ma punition? Parce que je suppose que j'vas être puni…

— Certain que tu vas être puni. J'y ai pas encore pensé, mais j't'avertis que tu vas t'en rappeler.

— En attendant, papa, quand maman va revenir de chez la coiffeuse, moque-toi pas de sa coiffure comme tu le fais tout le temps. A'l' aime pas ça.

— C'est juste pour l'étriver. Pis a'l' le sait.

— A' le sait, mais a'l' aime pas ça pareil.

— Tiens, gard' donc ça qui c'est qui me donne une leçon, à matin! Un voleur!»

Simone Signoret

« J't'avais jamais vue si tranquille, ma tante Bartine.

— C'est rien que quand j'vas là que chus tranquille de même.

— Pourquoi ?

— J'me sus souvent posé la question. Des fois j'pense que c'est à cause de la senteur de popcorn, quand on rentre, qui me donne juste envie de m'asseoir pis de rien faire en mâchant, des fois je pense que c'est parce qu'y fait noir, qu'on regarde devant nous autres sans penser à rien pis que ce qu'on voit sur l'écran nous sort de tous nos problèmes… Des fois j'pense que c'est le mélange des deux… Ça doit être ça, ça doit être un mélange des deux.

— T'aimes ça penser à rien ?

— Si je pouvais faire rien que ça… Ça paraît peut-être pas dans la vie de tous les jours, mais j'aime ça rester tranquille, t'sais.

— Pourquoi tu le fais pas plus souvent ?

— La vie, pauv' tit-gars, la vie. C'est pour ça que le cinéma existe, je suppose. Pour que le monde comme moi oublie la vie. Mais t'es trop jeune pour comprendre ces affaires-là…

— Pourquoi t'as pas voulu rester pour le deuxième film ?

— Un, c't'assez. J's'rais pas capable de me concentrer sur un deuxième. J'sais pas comment y font ceux, comme ta mère, qui vont au Passe-Temps, sur la rue Mont-Royal, pis qui en regardent trois de suite. Trois ! C'est quasiment toute la journée à rien faire ! J'aime ça être tranquille, mais pas si longtemps que ça. J'viens que je fatigue… Tu vois, j'vas au Bijou presque toutes les semaines. La plupart du temps le samedi après-midi quand toi t'es à la salle paroissiale avec un de tes frères… Ça donne le temps à ta mère de respirer un peu parce que je sais que chus pas toujours facile à vivre. Ça y fait deux problèmes de moins : toi, pis moi.

— Chus pas un problème…

— Tant mieux si tu t'en rends pas compte…

— J'reste souvent tranquille dans mon coin justement pour pas la déranger.

— Peut-être, mais quand tu sors de ton coin pis que tu te mets à poser tes maudites questions, t'es t'épuisant quequ'chose de rare !

— Maman veut pas qu'on dise maudit.

— Ta mère est pas ma mère… En tout cas. Tu le sais pas à quel point tu peux être épuisant, hein ? On est onze dans la maison à endurer tes questions. C'est ben beau de déménager ensemble, c'est vrai que ça coûte moins cher pour vivre, mais on est jamais tuseul… Tout le monde en souffre, tu sais, pas juste votre famille… Ça fait que tous les samedis après-midi j'm'assois là, je regarde les acteurs, les décors, toutes les places où j'irai jamais, surtout Paris qui a l'air d'être une si belle ville. J'pense à rien d'autre pendant une heure et demie, j'mâche tranquillement un gros sac de popcorn avec ben du beurre, pis j'm'en vas. Une histoire, c'est assez. Un set de malheurs, c'est assez. Si y a quelqu'un qui meurt, à la fin, j'pleure, si ça finit bien j'sors de là le cœur un peu plus léger… Mais aussitôt que j'ai mis le pied en dehors du Bijou, par exemple, ce que ta mère appelle mon petit caractère revient.

— Moi, des vues, j'en regarderais sans arrêter.

— Pourtant t'as pas grand-chose à oublier…

— C'est pas pour oublier. C'est juste parce que c'est le fun. Surtout les films comiques. J'aime tellement ça, rire, ma tante ! Des fois, chus tu-seul à rire dans le théâtre. Peut-être que c'est pas drôle, mais je trouve ça drôle pareil, pis je ris comme un fou…

— Moi, j'aime mieux pleurer, tu dois ben t'en douter. Donne-moi un beau drame, là, pis j'vas être heureuse. T'es dans le noir, personne te voit, tu peux te moucher tant que tu veux… Pis, je sais pas… On dirait que chus sensible aux voix. J'sais pas si tu sais ce que je veux dire… Y a des voix qui me font pleurer. Y a des acteurs pis des actrices, là, en anglais autant qu'en français, juste à les entendre parler j'viens toute molle… C'est pour ça que j'écoute tant les radioromans au radio. À cause des voix. Connais-tu Simone Signoret ?

— Qui ?

— C't'une actrice française. Mais a' joue pas dans les films pour enfants, tu dois pas la connaître. Ben juste à l'écouter parler, elle, là, c'est ben simple… Je l'ai vue dans une vue française, l'année passée… Ça s'appelait *Casque d'or*. A' jouait avec un acteur qui est ben beau pis qui a une ben belle voix, lui aussi. Y a un nom italien, j'me rappelle pus quoi… Ben j'aimais tellement comment a' parlait, j'aimais tellement le son de sa voix, à elle, à Simone Signoret, que j'ai été voir le film trois jours de suite ! Juste pour l'écouter. Pour la voir aussi, est tellement belle pis tellement bonne, mais surtout pour l'écouter, j'pense. C'est drôle, hein ?

— Oui, c'est drôle… Simone Signoret. J'vas essayer de me rappeler de son nom, pis si un jour j'la vois dans un film j'te dirai ce que j'ai pensé de sa voix…

— J'suppose que tout le monde est pas sensible aux voix de la même façon…

— C'est pour ça que tu dis toujours à Hélène de parler moins fort ?

— Oui. Mais c'est pas qu'a' parle fort qui me dérange…

— C'est le son de sa voix ?

— C'est le son de sa voix. Si j'te demande de revenir aux vues avec moi, vas-tu dire oui ?

— Certain ! Pis on ira voir une comédie, ça va te changer…

— Tiens, v'là ta mère qui revient de faire ses commissions. Va pas répéter ce que je t'ai dit, là… »

Peter Pan

« J'viens de finir *Peter Pan*, maman…

— Pis, as-tu aimé ça jusqu'au bout ?

— Ah, oui. J'avais peur de moins aimer ça que le film, mais non… Le capitaine Crochet, les sirènes, la fée Clochette, les pirates, le chien Nana… Aïe, le chien qui garde les enfants Darling s'appelle comme toi, maman, ça me faisait penser à l'histoire de mademoiselle Karli, en deuxième année… En tout cas, tout ça c'était ben excitant. Savais-tu ça que Peter Pan s'est sauvé de son berceau ? Y s'est envolé juste parce qu'y voulait pas rester un bébé dans son berceau, à rien faire… Y voulait connaître des aventures tu-suite pis y s'est envolé vers Neverland. J'aimerais ça être comme lui.

— Pour voler dans les airs ?

— Pas juste pour ça. J'aimerais ça pas vieillir, comme lui. Décider de pas vieillir, pis rester un enfant.

— C'est pas plus possible de pas vieillir que de voler dans les airs…

— Je le sais ben. J'aimerais ça pareil.

— Tu veux pas devenir un homme ?

— Non.

— Pourquoi ?

— Tu vois, pour une fois c'est toi qui demandes pourquoi…

— D'habitude les petits gars veulent devenir des hommes trop vite. Y rêvent de conduire des voitures, de fumer, de boire de la bière, de se marier, d'avoir des enfants…

— Y a rien de tout ça qui m'intéresse, maman.

— Non ?

— Non. En tout cas, pas pour le moment.

— Personne reste enfant toute sa vie, Michel, ça se peut pas. Tu peux pas rêver ça toute ta vie, ça va te passer…

— Pourquoi pas ? J'aimerais ça rester comme chus là, aller à l'école, jouer avec mes amis, aller aux vues, lire, si les aventures de Peter Pan sont pas possibles… Ou ben rester tranquille dans mon coin à écouter le radio.

— Mais… y faut ben que tu grandisses, Michel ! Y faut… y faut que tu deviennes un homme avec des responsabilités, comme tout le monde !

— Je le sais ! Mais j'en veux pas, de responsabilités.

— Pis tu dois ben avoir des rêves, tu dois commencer à te demander ce que tu vas faire plus tard, même si tu veux pas vieillir… Tes frères, à ton âge, avaient déjà de l'ambition… Même que Bernard se déguisait en petit homme pour pouvoir entrer aux vues quand y avait douze ou treize ans. Y se dessinait une moustache, y mettait le chapeau de votre père… parce qu'y voulait avoir l'air d'un homme ! Pis y voulait devenir un imprimeur comme votre père.

— Ça a l'air que ce que je veux faire, moi, c'est pas possible.

— Comment ça ?

— J'en ai parlé au frère Robert. Y m'a quasiment ri au nez.

— Tu parles avec ton frère enseignant d'affaires que tu veux pas parler avec ta propre mère ?

— C'est pas ça. Le sujet est venu tu-seul. J'v'nais de donner la copie de ma dernière composition, pis j'y ai dit que j'aimerais faire juste ça dans la vie.

— Des compositions ?

— Écrire.

— Écrire quoi ?

— Je sais pas. Des histoires. Des livres. Des gros livres avec des centaines de pages. Des fois, là, quand je lis une page que j'aime plus que les autres, j'la copie ! J'm'assois à la table de la cuisine, je fais semblant de faire mes devoirs, pis je copie des pages complètes, comme si c'était moi qui les avais écrites. J'ai fait ça trois ou quatre fois en lisant *Peter Pan.* Surtout la partie avec le crocodile qui a un cadran dans sa queue !

— Cher ti-gars. C'est drôle que tu dises ça, parce que moi aussi à ton âge je voulais écrire.

— Ah, oui ?

— J'voulais devenir la plus grande écrivain du Canada. Écrire des livres que tout le monde lirait, que tout le monde admirerait ! Avec des centaines de pages, exactement comme toi. Pis tu vois, c'est Gabrielle Roy, la chanceuse, qui a pris ma place…

— Qui ?

— J'vas te la faire lire quand tu vas être plus vieux. Est devenue l'écrivain que je voulais être. C'est tellement beau ce qu'a'l' écrit, là, si tu savais ! Mais je pense que t'es assez vieux, en fin de compte… Si on va faire le tour de la Gaspésie, l'été prochain, comme nous l'a promis ton frère, comme je sais que t'aimes pas beaucoup faire de la voiture longtemps, j'vas demander à ta cousine Jeannine d'aller emprunter son roman *Bonheur d'occasion* à la bibliothèque municipale. Tu liras ça pendant le voyage. C'est incroyable… Pis en plus Gabrielle Roy a vient de l'Ouest canadien, comme moi… On dirait… on dirait qu'a'l' a réussi tous mes rêves à ma place.

— Qu'est-ce qui t'a empêchée d'écrire, toi ?

— J'étais trop occupée.

— À cause de nous autres ?

— À cause de ben des affaires… Ça serait trop long à t'expliquer. Mais c'est toi qui m'intéresses, là, c'est pas mes vieux rêves… Tu disais que le frère Robert s'est moqué de toi ?

— C'est pas qu'y s'est moqué de moi… Y m'a dit que c'était pas un métier payant, que je gagnerais jamais ma vie, que je crèverais de faim, en fait… Pis que c'est pas parce que j'écrivais des belles compositions que ça voulait dire que j'avais assez de talent pour écrire pendant toute ma vie… Surtout des gros livres avec des centaines de pages.

— J'ai ben peur que tout le monde va te dire la même chose, Michel. Moi la première. Garde ça pour toi. Rêve, si tu veux, mais parles-en pas… C'est beau de rêver, mais y faut pas que ça prenne toute la place. Pis au lieu de résister, au lieu de *bucker* comme dirait ta tante Bartine, commence à accepter que tu vas vieillir comme tout le monde.

— C'est pas que je l'accepte pas, y faut ben que je l'accepte, mais je veux pas, maman !

— Tu vas voir, à mesure que tu vas vieillir, tu vas trouver des… je sais pas, moi… des qualités au fait de vieillir.

— J'en doute. J'vois pas ce qui a d'intéressant là-dedans… Comme ça, toi aussi tu me déconseilles d'écrire ?

— C'est pas ça que j'ai dit. Vas-y, si tu veux, arrête de copier dans les livres pis essaye de te trouver des histoires à toi si ça te rend heureux… J't'empêcherai jamais de faire ça ! Je l'ai fait, moi aussi, sur la galerie de la maison de Saskatchewan pis ici, à Montréal, quand chus venue rester avec ta grand-mère Rathier… Mais pense pas que tu vas pouvoir faire ça toute ta vie. C'est vrai, tu sais, qu'y a ben des écrivains qui ont crevé de faim pis qui crèvent encore de faim… Mets-toi à ma place, j'peux pas t'encourager à pas réussir ta vie.

— Pis si ça me condamne à être malheureux ?

— Tombe pas dans le drame comme moi, là, tu me le reproches assez souvent ! Tu vas voir, tu vas grandir, tu vas te trouver un métier, peut-être même une profession, tu vas te marier, tu vas avoir des enfants, tu vas peut-être être ben heureux, pis tu vas tout oublier ça.

— Penses-tu ce que tu viens de dire ?

— Oui. Non. Peut-être…

— En attendant… j'vas continuer à faire ce que je fais le plus longtemps possible… Pis peut-être que j'vas finir par passer à mes propres histoires…

— Cher ti-gars… Cher ti-gars… »

Key West, 28 décembre 2015 – 26 mars 2016

OUVRAGE RÉALISÉ PAR
LUC JACQUES, TYPOGRAPHE
ACHEVÉ D'IMPRIMER
EN JANVIER 2018
SUR LES PRESSES
DE MARQUIS IMPRIMEUR
POUR LE COMPTE DE
LEMÉAC ÉDITEUR, MONTRÉAL

DÉPÔT LÉGAL
1re ÉDITION : 4e TRIMESTRE 2016
(ÉD. 01 / IMP. 03)

Imprimé au Canada